OS CIENTISTAS

E SEUS EXPERIMENTOS DE ARROMBA

Dr. Mike Goldsmith

Ilustrações de Clive G
Tradução de Eduardo

SEGUINTE

Copyright do texto © 2003 by Mike Goldsmith
Copyright das ilustrações © 2003 by Clive Goddard

O selo Seguinte pertence à Editora Schwarcz S.A.

Grafia atualizada segundo o Acordo Ortográfico da Língua Portuguesa de 1990, que entrou em vigor no Brasil em 2009.

Título original:
Scientists and their mind-blowing experiments

Preparação:
Marcos Luiz Fernandes

Revisão:
Andressa Bezerra da Silva
Arlete Sousa

Atualização ortográfica:
Verba Editorial

Dados Internacionais de Catalogação na Publicação (CIP)
(Câmara Brasileira do Livro, SP, Brasil)

Goldsmith, Mike
  Os cientistas e seus experimentos de arromba / Mike Goldsmith; ilustrações de Clive Goddard; tradução de Eduardo Brandão. — 1ª ed. — São Paulo : Companhia das Letras, 2007.

  Título original : Scientists and their mind-blowing experiments.
  ISBN 978-85-359-1144-2

  1. Ciência – Experiências 2. Cientistas 3. Literatura infantojuvenil I. Goddard, Clive. II. Título.

07-9348   CDD-028.5

Índices para catálogo sistemático:
1. Cientistas: Literatura infantojuvenil 028.5
2. Cientistas: Literatura juvenil 028.5

19ª reimpressão

Todos os direitos desta edição reservados à
EDITORA SCHWARCZ S.A.
Rua Bandeira Paulista, 702, cj. 32
04532-002 — São Paulo — SP — Brasil
Telefone: (11) 3707-3500
www.seguinte.com.br
contato@seguinte.com.br

/editoraseguinte
@editoraseguinte
Editora Seguinte
editoraseguinteoficial

SUMÁRIO

Introdução	5
Aristóteles e seus seres lunares	7
Galileu Galilei e seu sistema solar secreto	24
Isaac Newton e sua atração universal	48
Michael Faraday e suas experiências eletrizantes	73
Charles Darwin e seus monstros misteriosos	89
Gregor Mendel e suas ervilhas com árvore genealógica	112
Louis Pasteur e seu mundo de germes	132
Marie Curie e seus raios mortais	149
Albert Einstein e suas leis do tempo	173
A ciência hoje	187

INTRODUÇÃO

Como você já cansou de perceber, não é brincadeira o que tem de ciência no nosso dia a dia: carro, telefone, armas de destruição em massa, pasta de dentes — tudo é produto da ciência. Já pensou como seria o mundo sem ela? E sem os cientistas famosos, com suas experiências e descobertas de arromba?...

Exatamente! Mas, na verdade, isso é só uma parte da história. Eles fizeram coisas muito mais incríveis...

Os cientistas e seus experimentos de arromba

Outro fato curioso em relação aos cientistas famosos de morrer é que a maioria deles não se chamava assim: a palavra cientista só foi inventada em 1833. O que costumamos associar à ciência — laboratórios cheios de gente com QI de pra lá de mil, uma matemática tão complexa que explodiria o nosso cérebro, máquinas enormes sempre zumbindo — é coisa que só começa a existir no século XIX.

Antes, a ciência era obra de umas poucas pessoas que queriam saber o porquê de tudo e tinham bastante tempo disponível. Embora esses cientistas levassem a ciência a sério e soubessem que um dia ela daria à humanidade as chaves do conhecimento do Universo (chaves que você vai encontrar neste livro numas janelas intituladas "Segredos da ciência"), a maioria das pessoas que conhecia esses sujeitos os achava meio esquisitos.

Se ser cientista é coisa nova, a ciência moderna porém é apenas uma maneira organizada de fazer algo que as pessoas vêm tentando há milhares de anos: explicar o Universo, como ele funciona e de onde vem. Algumas civilizações se limitaram apenas a responder "foi Deus que fez" e acrescentar: "E não pergunte por que, senão mando você para a fogueira". Mas nem todas...

ARISTÓTELES E SEUS SERES LUNARES

Os gregos antigos foram uns dos primeiros a se interessar por ciência. Felizmente, viveram numa época e num lugar em que eram incentivados a pensar e questionar tudo (*desde que* fossem homens e não escravos), o que lhes permitia especular sobre todo tipo de coisas. E era o que faziam.

Nem todos chamam esses antigos filósofos gregos de cientistas, porque, embora eles procurassem explicar como o mundo funciona, tendiam a fazê-lo apenas quebrando a cabeça até bolar uma teoria, e depois passavam a noite bebendo e defendendo suas ideias em discussões acaloradas. Mas uma coisa eles *não* faziam: testar suas suposições com experiências, medições ou observações cuidadosas. Logo, não havia maneira de confirmar ou desmentir uma teoria. As-

sim, não é de espantar que algumas delas fossem meio estrambóticas...

Platão, que viveu bem depois dos primeiros pensadores do tipo cientista, criou, por volta de 387 a.C., uma academia especial chamada... Academia (nome original, hein?). A Academia foi a ancestral das nossas universidades, onde os filósofos podiam se reunir para pensar, tomar umas, bater papo...

O JOVEM ARISTÓTELES

Foi Aristóteles quem deu o pontapé inicial na ciência. Mas, infelizmente, a maneira como o interpretaram freou o desenvolvimento dela por mais de mil anos.

Aviso: faltam detalhes biográficos neste capítulo. É que não existem muitos. Aristóteles viveu há tanto tempo que a maior parte dos fatos relativos à sua vida foram esquecidos há séculos. Praticamente tudo o que sabemos a seu respeito é o seguinte:

1. TINHA UM CORTE DE CABELO MODERNÉRRIMO.
2. TINHA UMA BAITA COLEÇÃO DE ANÉIS.
3. TINHA UM QI DE DAR INVEJA A QUALQUER GÊNIO.

Ninguém está 100% certo dos dois primeiros detalhes, mas quanto ao terceiro não há sombra de dúvida. Ele era tão inteligente que Platão (outra fera) o chamava de "O Crânio".

Aristóteles nasceu em 384 a.C. numa charmosa cidadezinha do norte da Grécia chamada Estagira. Logo depois, seu pai arranjou o emprego de médico do rei Amintas da Macedônia, de modo que ele passou a maior parte da infância na corte e foi superamigo de Filipe, filho de Amintas. Os pais de Aristóteles morreram quando ele ainda era garoto e, aos dezessete anos, seu tutor achou que estava na hora de lhe dar uma boa educação:

Aristóteles matriculou-se na Academia de Platão e nela permaneceu durante os vinte anos seguintes, primeiro como aluno, depois como professor.

Aprenda você mesmo a pensar

Embora em geral se dessem bem, Aristóteles e Platão não concordavam sobre tudo. Em particular, não concordavam sobre como deviam trabalhar. Platão achava que observar uma coisa não era digno de um bom pensador, e que um dia que não fosse passado trancafiado num quarto escuro com os olhos fechados, a matutar sobre coisa e outra, era um dia jogado fora. Já Aristóteles acreditava que para decifrar o Universo era preciso primeiro observá-lo e só depois pensar sobre ele — em outras palavras, achava que só dava para entender o mundo através da ciência, e não da filosofia. Bem, ele não colocava o problema exatamente nesses termos, o que, aliás, só viria a ser feito milhares de anos depois.

SEGREDOS DA CIÊNCIA

A insistência de Aristóteles em que as pessoas deviam observar o mundo cuidadosamente antes de tentar explicá-lo é uma regra fundamental da ciência.

Como era o primeiro pensador do tipo cientista, sobravam coisas a que aplicar seu supercrânio. Assim, foi ele que inventou a física e a biologia (que ainda eram chamadas de filosofia), revolucionou a lógica e também se aventurou em cosmologia, política, mineralogia e química.

Aristóteles ainda arranjou tempo para escrever sobre esportes e até sobre cosméticos...

Um mundo mais simples

Nos tempos antigos, antes de a iluminação pública e a poluição terem sido inventadas, as pessoas devem ter se perguntado por que o céu era tão diferente da terra e do mar, o que eram as estrelas, por que se moviam daquele jeito e por que as constelações não se pareciam com as coisas por cujo nome eram chamadas.

Aristóteles foi uma dessas pessoas, e formulou uma teoria interessante e simples sobre de que eram feitas as estrelas. E todo o resto também. Determinar de que eram feitas as coisas era um esporte popularíssimo entre os pensadores daquela época.

Os cientistas e seus experimentos de arromba

Para Aristóteles, os cinco diferentes tipos de matéria (isto é, as diferentes substâncias) que constituíam o Universo eram a terra, o ar, o fogo, a água e o éter.

SEGREDOS DA CIÊNCIA

A teoria de Aristóteles de que todo objeto é feito de matéria parece óbvia hoje em dia, mas naquele tempo muita gente achava que as coisas eram feitas de pensamentos ou de deuses. A teoria da matéria de Aristóteles incentivava as pessoas a investigarem as coisas de forma científica.

Aristóteles achava que o trabalho de quem hoje chamaríamos de cientista era descobrir a "natureza" das coisas. O que ele entendia por natureza é o que damos a entender quando dizemos, por exemplo, "é da natureza da lagarta transformar-se em borboleta" ou "é da natureza da urtiga dar comichão". Aristóteles tentava explicar o Universo em termos de coisas vivas, as quais eram do jeito que determinava a sua natureza. As coisas não vivas também tinham natureza — sem graça, mas mesmo assim natureza. Por exemplo, a natureza da "terra" (que incluía as pedras, os metais e outros sólidos) era ser pesada e mover-se para o centro da Terra. Daí, se você deixasse um punhado de terra fazer o que "quisesse", soltando-o, ele se moveria naturalmente para baixo, em linha reta. Não é que Aristóteles tivesse a noção de gravidade, ele apenas considerava que as coisas "queriam" ir para o seu lugar natural. Segundo os princípios científicos atuais, é uma concepção meio tosca, mas ainda assim melhor do que nada.

Para Aristóteles, a natureza da água era ser pouco pesada e permanecer na superfície da Terra. A natureza do ar era ser mais leve do que a terra ou a água, por isso seu lugar era acima do mar e da terra. A natureza do fogo era ser mais leve do que o ar, por isso as chamas subiam, e acima da camada de ar havia uma camada de fogo com a Lua na sua borda superior.

Aristóteles achava que terra, ar, fogo e água também tinham suas qualidades naturais: a terra era seca e fria; a água era úmida e fria; o ar era úmido e quente; e o fogo era seco e quente.

Por si só, o mundo seria um lugar chatérrimo — uma esfera de terra coberta inteiramente por um oceano, com uma atmosfera em torno e um invólucro de fogo fora da atmosfera. Mas Aristóteles achava que o Sol fazia com que tudo se misturasse um pouco, tornando as coisas interessantes.

Também achava que por trás de tudo havia uma espécie de ser divino, que fez as coisas serem racionais, lógicas, ordenadas e harmoniosas, e depois largou-as para lá e foi cuidar de outros assuntos, deixando o Universo funcionar como um relógio que ele teria construído e dado corda.

Aristóteles também achava — e isso era o mais importante — que os homens podiam entender o Universo.

SEGREDOS DA CIÊNCIA

A maioria das civilizações antigas pensava que o Universo era um lugar complicado e instável, regido por deuses mal-humorados e/ou doidos varridos, completamente imprevisíveis. A ideia otimista dos gregos antigos, de que o Universo é de fato governado por leis que os homens podem entender, é uma ideia fundamental para todos os cientistas.

Todos sempre tiveram Aristóteles na mais alta conta, e Aristóteles pensava que eles tinham toda razão. Você nunca o teria ouvido dizer "não sei" — e não era porque ele não falava português. Armado de uma inteligência impressionante, de uns poucos princípios simples e da determinação de não examinar com muito rigor o Universo, para ver se de fato tinha razão, ele explicava tudo e mais alguma coisa.

O quinto elemento

A teoria de Aristóteles explicava muito bem uma porção de coisas:

Mas Aristóteles não ficou nisso. Estava convencido de que o Sol, as estrelas e os planetas eram bem diferentes da Terra. Até onde ele sabia, não havia mudança no céu, salvo certos movimentos lentos, regulares e repetitivos: o Sol percorria o céu todo dia, assim como as estrelas e, de uma forma mais complicada, os planetas.

Aristóteles concluiu então que as estrelas, o Sol, os planetas e a Lua eram feitos de um quinto tipo de matéria, chamada éter. O éter não era quente, nem frio, nem seco, nem úmido; e, ao contrário dos objetos abaixo da Lua, que se moveriam naturalmente em linha reta, os objetos feitos de éter — como os planetas — moviam-se naturalmente em círculos. Aristóteles também supunha que eles durariam para sempre. (Os cometas são coisas temporárias, logo não podiam ser feitos de éter. Aristóteles concluiu daí que eles não existiam acima da Lua e tinham de estar na atmosfera!)

O Universo inteiro estava portanto muito engenhosamente explicado. Até aí, tudo bem. Mas o problema é que Aristóteles não fazia o que os cientistas de hoje fazem: algumas medições, experiências e cálculos. Como a ciência propriamente dita ainda não existia, ele se limitava a formular suas criativas teses sobre as coisas sem se preocupar em verificá-las. E foi assim que tudo começou a desandar:

O PERGAMINHO SECRETO DE ARISTÓTELES

1. SE AS COISAS TÊM UM LUGAR NATURAL, ENTÃO A TERRA NÃO PODE ESTAR EM MOVIMENTO. ELA TEM DE ESTAR PARADA NO SEU LUGAR NATURAL, NO CENTRO DO UNIVERSO.

2. SE NÃO HÁ NENHUMA FORÇA AGINDO SOBRE UM OBJETO, ELE NÃO SE MOVE, A NÃO SER PARA CHEGAR AO SEU LUGAR NATURAL E, ENTÃO, PARAR.

3. SE É DA NATUREZA DAS COISAS TERRESTRES MOVER-SE EM LINHA RETA, SE VOCÊ ATIRAR UMA PEDRA ELA VOARÁ EM LINHA RETA ATÉ A FORÇA QUE VOCÊ IMPRIMIU NELA SE ESGOTAR; ENTÃO, ELA CAIRÁ RETINHO NO CHÃO.

POF!

4. OS OBJETOS PESADOS CAEM MAIS DEPRESSA QUE OS LEVES.

Aristóteles e seus seres lunares

Todas essas ideias estavam irremediavelmente erradas. Na verdade...

> 1. Os objetos não caem em direção ao centro da Terra por ser aí seu lugar natural, mas por serem atraídos pela gravidade. Logo, não tem nenhum problema o fato de a Terra se mover.
>
>
>
> 2. Na Terra, a resistência do ar e o atrito fazem com que você tenha de empurrar certas coisas, senão elas param: um carrinho de mão, por exemplo. Mas se você jogar ou empurrar um objeto no gelo ele vai continuar se movendo por algum tempo, mesmo que você pare de empurrá-lo, porque o atrito é menor.
>
>
>
> 3. Um objeto que você arremessa se move em linha curva, e não em linha reta.
>
>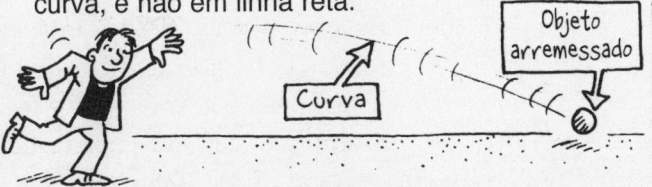
>
> 4. Esta a gente deixa o Galileu explicar, na página 29.

Logo, nota zero para a física de Aristóteles.

Pegando uma praia

Um dia, quando Aristóteles já estava havia vinte anos na Academia, Platão sentiu-se mal e...

Como era um gênio fora de série, de uma família cheia da grana e estava com apenas 37 anos, Aristóteles deve ter imaginado que se tornaria o "número um" da Academia. Mas a vaga foi para um sobrinho de Platão, e Aristóteles saiu de lá batendo as portas. Foi para a corte de Hérmias, rei de Atarneia. Hérmias era um ex-aluno da Academia, e Aristóteles se entendeu bem com ele, tanto que pouco tempo depois se casou com uma sobrinha do rei, Pítias. Dizem que Aristóteles passou a lua de mel catando interessantes seres marinhos.

Depois, foi se sentar num canto para inventar a zoologia, a que ninguém dava a menor bola, por acharem que os animais não passavam de uma classe inferior reles e fedorenta. Mas Aristóteles pensava que "devíamos nos dedicar, sem nenhuma vergonha, ao estudo de todos os animais, porque em todos eles há algo de natural e belo".

Aristóteles bateu pernas pelas praias, fuçando nas pedras e na água (ele sempre adorou o mar), observando e dissecando

Aristóteles e seus seres lunares

os animais marinhos que encontrava (ele não gostava muito de passar a faca nos bichos, mas abria-os mesmo assim).

Como não era a pessoa mais observadora do mundo, às vezes acreditava pura e simplesmente no que lhe contavam, sem se dar ao cuidado de verificar se era verdade. Por exemplo, achava que as mulheres tinham menos dentes que os homens, decorou errado o número de costelas dos homens e acreditava que o sexo do bode dependia de como o vento soprava quando ele (o bode) fosse concebido.

Apesar disso, descobriu coisas incríveis. Por exemplo: sabe por que, se você está num avião e seus ouvidos ficam entupidos, quando você boceja dá aquele estalo engraçado e eles desentopem? É porque tem um tubo que liga a parte interna do ouvido com a parte de trás da garganta. Foi Aristóteles que descobriu esse tubo! (Mas é claro que sem o experimento de testar os próprios ouvidos num avião...) Esse achado foi logo esquecido e só veio a ser redescoberto em 1550. Ele também descobriu que os golfinhos não são peixes e que os enxames de abelhas têm uma líder.

Aristóteles não se limitou a pesquisar os animais individualmente. Ele também queria estabelecer a relação entre eles e classificá-los. Antes da época de Aristóteles, os animais costumavam ser classificados pelo número de patas que tinham:

Os cientistas e seus experimentos de arromba

Aristóteles resolveu classificar os animais conforme o sangue que tinham e o tipo de ovo que punham, se punham. O sistema que usamos ainda hoje é mais ou menos assim.

Os seres lunares

Como outros gregos antigos, Aristóteles se entusiasmou um pouco demais com o sistema que bolou para decifrar o funcionamento do Universo e queria explicar tudo com uma teoria que, cá pra nós, era um bocado primitiva. Ele imaginava que os seres vivos estavam todos associados a um dos quatro elementos encontrados na Terra — os peixes eram seres feitos de água, encontrados no mar e nos rios; as plantas eram seres feitos de terra, encontradas no solo; os animais e os pássaros eram feitos de ar, encontrados no ar e no céu; e os seres feitos de fogo, a-hã, bem... na certa deviam ser encontrados...

Isso põe em evidência um grande problema, não só de Aristóteles mas de todos os antigos pensadores da Grécia: quando bolavam uma teoria, tentavam defendê-la sem se importar se alguma coisa as comprovava ou não.

Aristóteles e seus seres lunares

De volta à escola

Depois de alguns anos felizes fuçando nas praias e cortando em pedacinhos os animais que encontrava por lá, Aristóteles soube que seu amigo de infância, Filipe, agora rei da Macedônia, tinha um filho e queria que Aristóteles fosse o professor do garoto. Aristóteles voltou para a Macedônia e tornou-se tutor de Alexandre, então com treze anos. Alexandre iria conquistar metade do mundo conhecido dos gregos — por isso, viria a ser chamado de Alexandre, o Grande, ou Alexandre Magno — e fundaria um sem-número de cidades chamadas Alexandria, o que deve ter criado a maior confusão para os viajantes.

Não se sabe se eles se deram bem. Parece que Alexandre mandava para Aristóteles exemplares de plantas interessantes que encontrava nos cantos do mundo que estava conquistando; em todo caso, também escreveu uma carta queixando-se de que Aristóteles dava aulas públicas sobre os mesmos assuntos que havia ensinado a ele. É difícil entender qual era o problema disso, mas Alexandre adorava comprar uma briga, como, aliás, costuma ser o caso dos conquistadores do mundo.

Em 335 a.C., após três anos de aulas, Alexandre partiu para novas conquistas e Aristóteles voltou para Atenas. No entanto, ele ainda estava um bocado chateado por não ter sido indicado para dirigir a Academia, de modo que resolveu ir para outra academia. Mas, como não havia nenhuma outra, ele então fundou a sua, que chamou de Liceu. Era um pouco diferente da Academia, porque no Liceu o pessoal aprendia mais matemática e era incentivado a pesquisar coisas. E, ao contrário da Academia, o Liceu tinha uma biblioteca e um museu.

Aristóteles e seu Liceu tornaram-se popularíssimos por um tempo. Aliás, a maior parte dos escritos de Aristóteles que chegaram até nós são notas que ele redigia para dar suas aulas, daí serem meio difíceis de decifrar.

Mas o que as torna especiais é que são bem diferentes das obras da maioria dos pensadores gregos de antes: em vez de obras poéticas, retóricas, de caráter histórico, as de Aristóteles baseiam-se em sequências de fatos relacionados por argumentos lógicos. Embora alguns desses fatos sejam pra lá de duvidosos e alguns dos argumentos meio esquisitos, elas são bastante modernas em seu espírito.

Aristóteles ensinou no Liceu até 323 a.C., ano em que Alexandre morreu. Foi um choque e tanto para ele. Além disso, complicou-lhe um bocado a vida, porque sempre houve um certo sentimento antimacedônio em Atenas e, com a morte de Alexandre, as pessoas se sentiam livres para fazer algo mais do que resmungar, escondidas. Como Aristóteles passou tanto tempo na Macedônia e tinha muitos amigos macedônios, os atenienses achavam que ele simpatizava demais da conta com esse reino e, ainda por cima, o acusaram de desrespeitar os deuses. Coisa parecida havia sucedido não muito antes com um filósofo chamado Sócrates, que acabou condenado à morte, de modo que Aristóteles decidiu não pagar pra ver a mesma coisa acontecer com ele. Se mandou então para Cálcis, onde morreu poucos meses depois, aos 62 anos de idade. Não se sabe muito bem como morreu, mas dizem que se jogou no mar por não conseguir descobrir como a maré funcionava. O que prova que é melhor não ser fanático demais pela ciência...

ARISTÓTELES
ESTA FOI SUA VIDA

Revolucionou:
a biologia, a astronomia e a física

PRINCIPAL DESCOBERTA:
- o que é ser cientista

INTERESSES NÃO CIENTÍFICOS:
praticamente tudo

GALILEU GALILEI E SEU SISTEMA SOLAR SECRETO

Depois da morte de Aristóteles, muitos outros pensadores gregos seguiram seus ensinamentos, mas a maioria deles não fez muito mais do que copiar suas obras. O conteúdo da biblioteca do Liceu acabou sendo transferido para a novíssima biblioteca de Alexandria, equipada de máquinas de xerox colorida, internet banda larga e revistas luxuosas (quer dizer, seus equivalentes antigos). Mais tarde, em 146 a.C., a Grécia foi absorvida pelo Império Romano. Os romanos eram craques em coisas do tipo conquista e gerência, mas não tinham tempo para o pensamento científico, de modo que não houve grande progresso nas ciências enquanto eles estiveram por cima.

Depois da queda do Império Romano, em 285 d.C., tudo ficou mais parado e sinistro na Europa, e por mais de mil anos quase não houve progresso científico. O Liceu e a Academia de Platão foram fechados e a grande biblioteca de Alexandria foi destruída. Mas alguns escritos de Aristóteles sobreviveram na Arábia, e por volta do século XV foram traduzidos em latim, junto com outros textos gregos, tornando-se disponíveis na Europa. Todo mundo ficou impressionadíssimo e logo adotou as ideias dos gregos antigos sobre a arte e a filosofia. Esse período foi chamado de Renascença ou Renascimento.

Em parte por coincidir com a ideia bíblica de que a Terra era o centro do sistema solar, a ciência grega foi entusiasticamente adotada pela Igreja católica, que dominava a Itália e muitas outras partes da Europa. Em particular, as teorias de Aristóteles, numa forma modificada, tornaram-se a doutrina oficial da Igreja por séculos e séculos.

Mas, se algumas velhas teorias eram populares, a *abordagem* (questionar, experimentar, bolar novas teorias) não era nem um pouco. Questionar Aristóteles não era a mesma coisa que questionar a Bíblia — ainda —, mas era quase tão perigoso quanto. Quem quisesse contestar Aristóteles tinha de ser muito hábil, valente, claro, espirituoso e não temer as consequências. E ter amigos poderosíssimos para protegê-lo.

Tinha de ser alguém como Galileu. Só que Galileu não sabia calar a boca na hora certa.

O que era ótimo para a ciência, mas não para ele.

Falando (alto) de ciência

Galileu Galilei nasceu em Pisa, na Itália, em 1564. Seu pai, Vincenzio, era músico e uma espécie de cientista amador, que costumava criticar de vez em quando as ideias de Aristóteles. O que isso lhe rendeu de bate-boca não está no gibi, mas Vincenzio adorava uma boa discussão. Certamente Galileu herdou em boa parte do pai a paixão pela ciência — e pela polêmica.

Quando Galileu tinha dez anos, a família se mudou de Pisa para Florença, onde ele estudou num mosteiro (as instituições religiosas tinham uma enorme importância na Itália do século XVI). Não sabemos muita coisa sobre esses primeiros estudos de Galileu, mas provavelmente ele aprendeu religião, latim, matemática, gramática e lógica. Tudo isso lhe seria muito útil mais tarde.

O pai de Galileu, a certa altura, decidiu que seu filho seria médico e mandou-o então de volta a Pisa para estudar na universidade local. Mas Galileu não tinha a menor vocação para ser doutor, ele gostava mesmo era de escapar para empolgantes aulas de matemática. Aliás, gostava tanto de matemática que, incentivado pelo professor que a ensinava, trocou a medicina por ela. Por causa dessa troca teve a maior briga com o pai. Aliás, como já disse, ele vivia comprando briga com quase todo mundo, tanto que o chamavam de Brigão. Essas brigas eram quase sempre sobre como fazer ciência, como os corpos se moviam e que costume besta era aquele de usar o tempo todo uma toga, que era o uniforme dos estudantes da época.

Bão-balalão

Na universidade, *quase* todo mundo achava que, se você quisesse descobrir alguma coisa — por exemplo, quanto tempo uma bala de canhão levava para cair do alto de uma torre de 54 metros —, o melhor que você tinha a fazer era...

Não, senhor, o melhor era...

Também não! O melhor era pegar um livro de Aristóteles na biblioteca, abri-lo e ver o que ele dizia!

Pois é, Galileu achava que todas as explicações, até as de Aristóteles, tinham de ser testadas pela observação e pela experiência. E era o que ele fazia. Um dia, estava na catedral assistindo à missa — na verdade, estava distraído espiando um candelabro de teto que acabava de ser aceso — e percebeu que o candelabro balançava pra lá e pra cá, cada vez mais lentamente. Como Galileu não tinha relógio de pulso, até porque este só foi inventado no fim do século XIX, mediu as oscilações com as batidas do seu pulso e descobriu que elas pareciam durar a mesma coisa. Em vez de correr para a biblioteca para ver o que Aristóteles dizia a esse respeito, fez algumas experiências que o levaram a formular uma lei matemática simples, relacionando o comprimento do pêndulo à duração da sua oscilação.

Galileu descobriu que o tempo de uma oscilação não depende do peso do pêndulo, o que parece esquisito (e que nunca foi explicado direito, até Albert Einstein entrar em cena). Descobriu também que a matemática era uma excelente ferramenta para descrever as coisas com exatidão.

Em 1585, Galileu saiu da Universidade de Pisa — sem se diplomar. Como seu pai não tinha meios para garantir o seu sustento, teve de arranjar um emprego. Voltou então para Florença, a fim de tentar a sorte. Como sorte não era o que lhe faltava, além de ser um craque em matemática, não demorou a conseguir trabalho como professor particular dessa cabeluda matéria. E como, além de sortudo, tinha um tremendo carisma, logo caiu nas graças do marquês Guidobaldo del Monte, que lhe arranjou um emprego bem melhor: professor de matemática... em Pisa! (Eita mundo pequeno, este!) O salário era ridículo, mas mesmo assim Galileu aceitou o cargo.

Como o mundo funciona?

Galileu se comportava na universidade exatamente como na época em que era estudante: criava caso a propósito de tudo. Como ele dizia...

> *Em matéria de ciência, a autoridade de mil não vale mais que o humilde raciocínio de um só.*

Não é de espantar que muita gente ficasse uma fera com ele. Mas ele nem ligava. Galileu também tinha bons amigos e estava adorando aplicar seu método de "observar, medir, experimentar, raciocinar, calcular" o movimento. (Aristóteles sempre dissera: "Ignorar o movimento é ignorar a Natureza", logo o movimento era um ponto de partida óbvio.)

Como vimos na página 16, Aristóteles supunha que os objetos pesados caíam mais depressa que os leves. Do mesmo modo que a maior parte das ideias de Aristóteles, esta também tinha algum sentido (por exemplo: uma pena cai mais devagar que uma pedra), mas Galileu notou que uma pedra mais pesada e outra mais leve caíam ao mesmo tempo, e tirou daí a conclusão de que, em geral, os objetos caíam com a mesma velocidade, independentemente de quanto pesassem. Ele não podia imaginar que a velocidade de um objeto em queda diminuiria se esse objeto se quebrasse no ar, como Aristóteles predisse.

Revista da Renascença
BOLA FORA DE ARISTÓTELES!

Os partidários de Aristóteles estão arrasados com as notícias ainda não confirmadas provenientes de Pisa, segundo as quais Galileu, o rebelde da física, obteve a maior publicidade ontem, ao largar duas bolas de chumbo do alto da famosa Torre Inclinada.

Uma bola era vinte vezes mais pesada que a outra, logo, segundo Aristóteles, ela devia cair vinte vezes mais rápido. Mas as duas bolas chegaram ao chão praticamente ao mesmo tempo, deixando sem palavras a multidão de aristotélicos presentes.

(Na verdade, na Terra, a resistência do ar faz os objetos caírem em velocidades diferentes: os objetos densos caem mais depressa. Assim, uma coisa grande mas leve, como um travesseiro de plumas, cai mais devagar que uma pequena mais pesada, como uma bolinha de mármore. No entanto, no vácuo, onde não existe ar criando resistência, todos os objetos caem na mesma velocidade.)

Se a demonstração da Torre Inclinada de fato aconteceu, ela se deu provavelmente em 1591. Fora ela, aquele foi um ano ruim para Galileu: seu pai morreu, deixando-lhe a responsabilidade de pagar contas como o dote do casamento da irmã e, pior ainda, seu contrato com a Universidade de Pisa terminou — e não foi renovado, porque ele tinha criado caso com muita gente por lá. Ou seja, Galileu ficou desempregado.

As filhas de Galileu

Mas não por muito tempo. Guidobaldo logo lhe arranjou um emprego de professor em outra universidade, a de Pádua, com um salário razoável. Galileu mudou-se para a cidade e foi morar com um amigo rico, chamado Gianvincenzo Pinelli. Não podia ter arranjado moradia melhor, porque Gianvincenzo tinha uma baita biblioteca de ciências e era unha e carne com algumas das pessoas mais poderosas do pedaço. Tornou-se um professor popularíssimo, dando aulas de matemática, astronomia e mecânica.

Mas também sabia se divertir e, quando não estava numa festa animada, vivia na rua tomando todas. Uma noite, ele e dois amigos encheram tanto a cara que adormeceram, sem perceber, num quarto de hotel com um buraco na parede que dava para um porão gelado e úmido. Os dois amigos ficaram doentes e morreram, e Galileu nunca se recuperou totalmente: o resto da vida sofreu de reumatismo e vários outros males dolorosos. Que porão sinistro esse, hein?

Tempos depois, Galileu alugou uma casa, onde inventou um treco que provou como era inovadora a sua maneira de fazer ciência: um instrumento que podia ser usado tanto para ajustar a mira de um canhão, como para extrair raízes quadradas, calcular a quantidade de pólvora necessária para os diferentes tipos de balas de canhão e muitas coisas mais. Batizou o treco de "compasso militar", e os militares adoraram esse invento. Tanto que Galileu vendeu um montão desses compassos para o exército e, sempre procurando agradar os poderosos, dedicou o manual de instrução do instrumento a um ex-aluno, Cosimo de Medici, que era simplesmente o grão-duque de Florença.

Aos 35 anos, Galileu juntou-se com uma mulher chamada Maria Gamba, com quem teve três filhos. O fato de não serem casados não fez muita diferença para eles, mas para as duas filhas fez. Por terem nascido de um casal não casado, elas também não podiam se casar... Costume esquisito, não? Por isso Galileu mandou-as para um convento, onde comiam mal e tiveram de trabalhar duro o resto da vida. Como se não bastasse, o convento era de arrepiar: dizem que os ossos enterrados no pátio da igreja chacoalhavam quando alguma freira estava prestes a bater as botas.

Apesar de todos esses pesares, uma das suas filhas, Virginia, sentia-se muito feliz no convento, e pai e filha foram muito ligados a vida toda, escrevendo muitas cartas um para o outro (infelizmente, todas as de Galileu se perderam). Já a outra, Livia, foi tachada de ter um péssimo humor. No lugar dela, você também não teria?

O sistema solar secreto

Em 1543, antes de Galileu nascer, um cientista polonês chamado Nicolau Copérnico publicou um livro sugerindo que a Terra girava em torno do Sol. Aristóteles e a maioria das pessoas sempre consideraram que o Sol é que girava em torno da Terra, o que a Bíblia também dava a entender. Mas Galileu achava que Copérnico tinha razão e em 1597 escreveu a um cientista alemão chamado Johannes Kepler, defendendo a tese do polonês.

Nesse meio-tempo, Galileu aperfeiçoou sua teoria da queda dos corpos, até formular uma lei, brilhante por sua simplicidade.

Ele estava desenvolvendo a sua lei, quando uma coisa extraordinária aconteceu: uma estrela situada a uns 3,5 bilhões de quilômetros da Terra explodiu, aumentando seu brilho 100 milhões de vezes. (Na verdade, a explosão ocorreu por volta de 2500 a.C., mas a luz só alcançou a Terra mais de 4 mil anos depois.)

Esse tipo de acontecimento teria deixado Aristóteles doente, porque não era assim que, a seu ver, uma estrela devia se comportar. De acordo com sua teoria, as estrelas eram feitas de um material que nunca mudava e a única coisa que faziam era cintilar e andar em círculos no céu. A única parte do Universo em que as coisas mudavam era dentro da órbita da Lua, logo a tal estrela teria de estar aí, e não muito mais longe, como era o caso.

Revista da Renascença
NASCE UMA ESTRELA

Quem olhou para o céu ultimamente com certeza notou que uma nova estrela apareceu e está causando rebuliço tanto na Terra quanto no espaço.

Os aristotélicos afirmam que a estrela tem de estar dentro da órbita da Lua, mas os cálculos de Galileu mostram que não é possível: se estivesse, garante, seria vista em diferentes partes do céu, dependendo do lugar em que fosse observada.

Os aristotélicos acham esses cálculos uma besteira. Como disse um porta-voz deles à revista: "Para que ficar fazendo observações de uma coisa que já está claramente explicada nos livros de Aristóteles?".

Galileu Galilei e seu sistema solar secreto

Galileu ficou célebre com esse tipo de debate, e sabem o que aconteceu? Todo mundo começou a lhe encomendar horóscopos! Pois é, naquela época achavam que quem fosse craque em astronomia também seria capaz de prever o futuro interpretando os astros. Em 1609, Galileu previu uma vida longa e feliz para Ferdinando I de Medici, grão-duque da Toscana. Vinte e dois dias depois...

Apesar desse papelão, a mancada astrológica teve um lado bom para Galileu. É que a morte de Ferdinando significava que Cosimo — seu ex-aluno — se tornaria Sua Sereníssima Alteza, o Grão-Duque Cosimo II. Maravilha para Galileu, que andava atrás de um bom emprego. Cosimo era o tipo do cara que Galileu apreciava: rico, poderoso e, além do mais, membro de uma família que era fã do cosmos, como o cósmico nome do grão-duque indica. Aliás, o avô de Cosimo chegava até a se identificar com Júpiter.

Aconteceu então uma coisa que transformou Galileu: de um cientista relativamente famoso, com boas ideias sobre astronomia (e uma curiosa teoria do movimento), ele passou a ser realmente famoso, pois descobriu todo um novo Universo. Ele ouviu falar que haviam inventado um tubo com

Os cientistas e seus experimentos de arromba

vidros nas duas pontas, com o qual dava para ver objetos distantes muito mais nitidamente. Valendo-se dessa vaga descrição e do seu cérebro superpoderoso, Galileu construiu sua própria versão — muito melhor que a original.

O telescópio virou uma grande novidade — todo mundo queria ter um. Para a maioria das pessoas, era apenas um brinquedinho caro, mas para Galileu era um instrumento de trabalho. Em 1609, ele apontou seu telescópio de fabricação caseira para o céu noturno e descobriu:

SEGREDOS DA CIÊNCIA

Primeiro astrônomo da história a usar outra coisa além dos próprios olhos, Galileu abriu as portas para a observação de objetos no espaço que, sem seu telescópio, teriam continuado escondidos da humanidade — pelo menos enquanto alguém não construísse um telescópio igual (ou melhor).

Galileu escreveu e publicou rapidamente um livro chamado *O mensageiro das estrelas*, que causou a maior sensação. Nele, não mencionou aquelas partes de Saturno parecidas com orelhas, mas mandou para alguns astrônomos, entre eles Kepler, uma mensagem sobre essa sua sensacional descoberta, só que sob a forma de um anagrama de "Notei que o planeta mais alto do céu tem três corpos".

> TIA NICOTA SEM TER PORQUÊ SOLTA DO CÉU POETAS NO MEL???

É claro que nenhum astrônomo conseguiu decifrar a mensagem. Será que se, em vez de três corpos, ele escrevesse o anagrama de "anéis ao redor", eles teriam entendido?

Essas descobertas todas lhe deram a certeza de que Aristóteles, com a sua teoria de que tudo no Universo girava ao redor da Terra, estava redondamente enganado. Para início de conversa, ele podia ver que as luas de Júpiter não orbitavam nosso planeta e que a forma de Vênus só fazia sentido se ela girasse em torno do Sol.

Os cientistas e seus experimentos de arromba

Galileu não levou mais de dez minutos para descobrir esses novos componentes do Universo, mas, esperto como era, soube tirar um enorme proveito dos seus achados. Dedicou *O mensageiro das estrelas* ao novo grão-duque, Cosimo II de Medici, e, além de derramar-se em elogios sem fim a ele na dedicatória, chamou as luas que descobrira de "estrelas medicianas". Adivinhe por quê? A bajulação deu certo, tanto que Cosimo nomeou-o "Matemático-Chefe da Universidade de Pisa e Filósofo e Matemático do Grão-Duque". Achou o título muito pomposo? Pois era assim que Galileu gostava. E o salário, então! Aliás, se houvesse concurso público na época, Galileu teria sugerido a Cosimo que redigisse um edital assim:

> **Concurso Público**
> Cargo: Matemático-Chefe da Universidade de Pisa e Filósofo e Matemático do Grão-Duque
>
> Salário: altíssimo
> Data de início: outubro de 1610
> Obrigações principais: nenhuma
> Requisitos: ter nascido em Pisa, ter 46 anos de idade e chamar-se Galileu
>
> Sua Sereníssima Alteza o Grão-Duque Cosimo II garante a todos total igualdade de condições para preencher o cargo.

Galileu estava indo de vento em popa. Mas seu sucesso, sua inteligência e sua mania de insultar e tratar com arrogância quem quer que discordasse dele logo levaram à criação de uma associação de cientistas que morriam de ódio (e de inveja) dele e que estavam loucos para ir à forra. Galileu chamou o grupo de Liga dos Pombos, porque seu líder se chamava Ludovico delle Colombe, e *colombe* em italiano significa "pombas". O deboche era pesado: Galileu deu o nome em toscano, dialeto em que "pombo" — *pippione* — também significa "panaca". Em 1611, Galileu viajou a Roma, onde foi eleito para a primeira sociedade científica do mundo, a Academia dos Linces — assim chamada porque os linces são célebres por sua extraordinária visão.

Enquanto isso...

FUXICOS   INTRIGAS   CILADAS   GALILEU!

Luas inúteis, montanhas invisíveis

Em 1611, um astrônomo alemão chamado Christopher Scheiner notou algumas manchas escuras no Sol e sugeriu que eram pequenas estrelas. Galileu discordou e publicou cartas proclamando que as manchas estavam na superfície solar. Nessas cartas, além de se queixar de problemas de saúde, também mencionou que a Terra girava em torno do Sol. Aí o caldo entornou!

Seus inimigos não perderam a deixa. Mas, como Galileu era inteligente demais para que conseguissem demolir suas teorias (muitos já tinham tentado e quebrado a cara), trataram de criticá-lo no campo religioso. E tome sermão condenando Galileu como anticatólico!

Mentira! De anticatólico Galileu não tinha nada, ele só achava que o que a Bíblia dizia sobre a ciência estava errado. Mas criticar a Bíblia era perigoso: muitos haviam ido para a fogueira por menos. Por isso, Galileu não não criticava a Bíblia, e sim Aristóteles. Mas, como a Igreja havia adotado a ciência de Aristóteles, bastava aos inimigos de Galileu o acusarem de criticar o grego para ele se ver em maus lençóis. Assim, Galileu se viu forçado a provar que suas ideias científicas estavam de acordo com a Bíblia. Mas, como a Bíblia dizia coisas do tipo "Lançaste os fundamentos da Terra, para que ela não se mova jamais", suas provas eram meio forçadas...

Galileu era um debatedor brilhante e dava sempre um jeito de contornar as afirmações da Bíblia, mas estava perdendo a batalha — porque as pessoas que escreveram a Bíblia com quase toda certeza pensavam que a Terra não se movia (se é que eles se preocupavam com esse tipo de coisas) e porque os católicos consideravam que analisar a Bíblia era pecado. De qualquer modo, por mais brilhante que fosse, Galileu não queria de jeito nenhum se envolver nesse tipo de discussão. Ele queria ser apenas um cientista e descobrir o que era verdadeiro e o que não era, ao contrário dos outros, que só queriam abafar as descobertas incômodas. Alguns padres se recusavam até mesmo a olhar o céu pelo telescópio, porque estavam convencidos de que não havia nada para ver! Alguns sustentavam que as luas de Júpiter não existiam porque, sendo invisíveis a olho nu, não podiam ter a menor utilidade para os homens: logo Deus não teria perdido seu tempo inventando-as. Eles também diziam que as montanhas da Lua não provavam que Aristóteles estava errado quando disse que a Lua tinha uma superfície plana, porque podia perfeitamente haver uma camada totalmente plana cobrindo toda a Lua, suas montanhas e tudo. Ao que Galileu replicou:

> É, E COM VOLUMOSAS MONTANHAS INVISÍVEIS EM CIMA!

Galileu não achava que a Bíblia e os livros de Aristóteles fossem a leitura adequada para quem quisesse saber como era o cosmos. Dizia ele que a verdade vinha "escrita num grande livro — o Universo —, que está sempre aberto aos nossos olhos, mas que não pode ser entendido se antes não aprendermos a compreender a linguagem e interpretar os caracteres em que está escrito. E ele está escrito na linguagem da matemática".

SEGREDOS DA CIÊNCIA

A ideia de Galileu de que a matemática podia ser usada para descrever o mundo real — como fez em suas leis da queda dos corpos e do movimento do pêndulo — permitia que ele e os outros cientistas que o sucederam descrevessem as coisas que acontecem no Universo, mas não que as previssem e controlassem.

Em 1615, Galileu resolveu levar a discussão a quem podia dar a última palavra: ao papa, em Roma. Foi um erro de cálculo. O papa — Paulo V — não se interessava por ciências e criou uma comissão que decidiria se as ideias de Galileu contradiziam ou não a Bíblia (se elas estavam certas ou erradas não tinha a menor importância!). A comissão decidiu que contradiziam, e Galileu levou uma bronca daquelas. Disseram-lhe também que, se ele não renunciasse à sua teoria, ficaria proibido de discutir a ideia do movimento da Terra. Por uma vez na vida, Galileu não comprou a briga e fez o que lhe mandaram: disse que abandonava sua teoria, e assim não foi proibido de discutir se a Terra se movia ou não. Mas como ele tinha inimigos em toda parte, saiu um relatório dizendo que ele tinha sido proibido, sim. Só que Galileu arranjou uma declaração dizendo que não tinha sido proibido coisíssima nenhuma e guardou-a bem, para o caso de um dia precisar. E, dezesseis anos depois, precisou.

Dias difíceis

A coisa mais sensata que Galileu devia ter feito era deixar de lado a astronomia e se dedicar ao estudo do movimento ou algo do gênero. Mas, no ano seguinte, voltando a Roma, ele já estava escrevendo e discutindo em alto e bom som em defesa de Copérnico.

De novo, quando três cometas apareceram e um astrônomo católico chamado Orazio Grassi proclamou que eles circulavam ao redor da Terra dentro da órbita da Lua, Galileu devia ter calado o bico. Mas...

Galileu Galilei e seu sistema solar secreto

Talvez se sentisse seguro porque, na época, havia um novo papa, Urbano VIII, que se interessava pela ciência e, além disso, gostava tanto de um dos livros de Galileu que pedia que o lessem enquanto ele comia. Galileu foi a Roma visitá-lo, e os dois se distraíram à beça com um microscópio que o cientista construíra especialmente para Urbano. Ele esperava que o papa lhe permitisse dizer o que queria, mas não contou com um probleminha: Urbano tinha certeza de que a Terra era o centro do sistema solar. Afinal, os dois acertaram que seria uma boa ideia Galileu escrever um livro explicando as duas teorias: a heliocêntrica (o Sol como centro do Universo) e a geocêntrica (a Terra como centro). Assim os críticos da Igreja veriam que ela não abafava o debate científico. Só que NÃO devia concluir que a teoria heliocêntrica é que estava certa.

Que Universo?

Nos seis anos seguintes, Galileu trabalhou em seu livro, um dos mais importantes que já foram escritos. Seu título inteiro é: *Diálogo de Galileu Galilei, linceano, matemático especial da Universidade de Pisa e filósofo e matemático-mor do Sereníssimo Grão-Duque da Toscana. Onde, nos encontros de quatro dias, há uma discussão concernente aos dois principais sistemas do mundo, o ptolomaico e o copernicano, propondo de forma não conclusiva as razões físicas e filosóficas tanto de um lado como do outro.* Curtinho, né?

Como você deve ter percebido lendo o título (que costuma ser abreviado para *Os dois sistemas do mundo*), trata-se de um senhor livro. É escrito como uma espécie de peça de teatro com três personagens. Um acha que a Terra gira em torno do Sol, outro que o Sol gira em torno da Terra e o terceiro seria neutro. Infelizmente, o ponto principal — que as marés provam que a Terra se move — está errado. As marés são causadas pela gravidade do Sol e da Lua, mas a lei da gravidade ainda não havia sido descoberta. A melhor evidência que o livro dá para o movimento da Terra é que os planetas mudam de tamanho no céu — o que não aconteceria se eles girassem em torno da Terra.

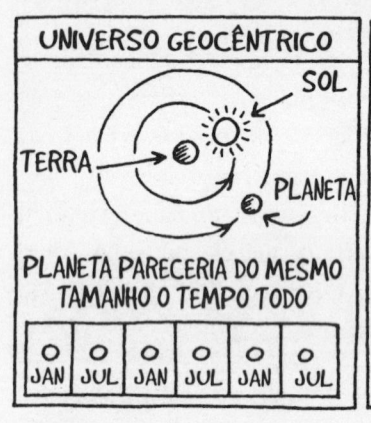

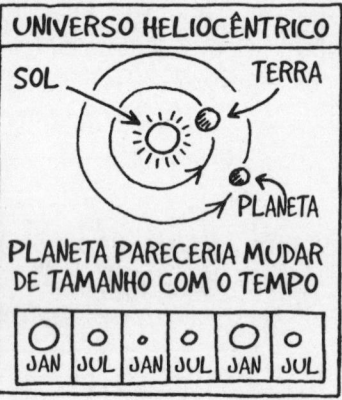

UNIVERSO GEOCÊNTRICO
SOL / TERRA / PLANETA
PLANETA PARECERIA DO MESMO TAMANHO O TEMPO TODO
JAN JUL JAN JUL JAN JUL

UNIVERSO HELIOCÊNTRICO
SOL / TERRA / PLANETA
PLANETA PARECERIA MUDAR DE TAMANHO COM O TEMPO
JAN JUL JAN JUL JAN JUL

O livro apresenta também a primeira teoria da relatividade. Galileu mostra que os objetos no porão de um navio não são afetados pelo movimento regular do navio.

Galileu teria escrito o livro mais depressa se, bem naqueles dias, seu irmão não tivesse mandado a família inteira (gente à beça) para morar com ele, dizendo que seria "uma diversão para você".

O livro foi ótimo para a história da ciência, mas para Galileu não foi nada bom. A bem da verdade, foi péssimo.

— VAMOS TESTAR A TEORIA DA QUEDA DOS CORPOS DO TIO GALILEU?
— MUITO DIVERTIDO.

> ## ✝ Notas Secretas do Papa Urbano ✝
>
> Eu estava me entusiasmando com o novo livro do Galileu até que me garantiram que o personagem boboca era eu! E está na cara que Galileu não propôs de forma não conclusiva as razões físicas e filosóficas tanto de um lado como do outro coisíssima nenhuma! Ele provou conclusivamente, isso sim, que a Terra gira em torno do Sol! E olhem que eu cansei de lhe dizer que não gira, não!

O livro foi proibido e Galileu intimado a ir a Roma, para ser julgado pela terrível Inquisição. Em 1633, ele fez a longa viagem. Estava com 69 anos — naquela época, a maioria das pessoas morria antes disso. Galileu não demorou a desejar ter tido a mesma sorte...

Psss! Cientista secreto

Galileu estava enrascado. Prisão, tortura e morte era o que os inquisidores ansiavam por lhe impor, e o papa também estava fulo da vida com ele. Por sorte, ele tinha aquele documento que dizia que ele nunca fora proibido de considerar que a Terra se movia. Apesar disso, foi obrigado a assinar uma declaração dizendo que a Terra não se movia um só centímetro em nenhuma direção, proibido de escrever o que quer que fosse e condenado à prisão perpétua! É mole? Viram como a Igreja *não abafava* o debate científico?

Os cientistas e seus experimentos de arromba

Mas, além de inimigos poderosos, Galileu tinha amigos muito influentes, de modo que conseguiu permissão para cumprir sua prisão perpétua em casa, perto do convento das filhas, nos arredores de Florença. Foi lá que passou o resto da vida, em prisão domiciliar. Aliás, ele encabeçava assim as cartas que escrevia: "Da minha prisão". Mas podia visitar as filhas e até deu um jeito para receber algumas visitas, com quem discutia sobre ciência. Bem baixinho.

E, então, em 1638...

Revista da Renascença
GALILEU

O cientista Galileu aprontou mais uma das suas. Apesar de cumprir prisão perpétua na Itália e de ter sido proibido de publicar uma só linha sobre ciência, ele acaba de lançar um novo livro, em que trata de duas ciências de uma vez! Escreveu-o em segredo e contrabandeou o manuscrito para a Holanda, onde ele foi editado sem problemas, pois a Igreja não apita nada por lá.

O novo livro se chama *Discursos e demonstrações matemáticas concernentes a duas novas ciências*. Como seu livro anterior, este também torna a ciência uma coisa interessante e divertida, e foi igualmente escrito na forma de um diálogo entre três sujeitos, um dos quais é meio boboca.

As duas ciências tratam dos objetos em movimento e da resistência dos materiais. O livro é recheado de fatos fascinantes, descobertas dramáticas e experiências empolgantes. Quanto pesa o ar? Qual a velocidade do som e da luz? Tudo é mesmo formado de átomos? Leia o último best-seller de Galileu para saber as respostas.

Galileu Galilei e seu sistema solar secreto

A filha predileta de Galileu morreu em 1633, e quando *Duas novas ciências* foi publicado ele estava cego mas continuava trabalhando mesmo assim. Uma das últimas coisas que fez foi inventar o relógio de pêndulo, que ele orientou seu filho a projetar. Galileu evitava tratar do sistema solar, mas *Duas novas ciências*, apesar de proibido durante quase dois séculos pela Igreja, cumpriu com a sua missão, e pouco a pouco a teoria heliocêntrica foi sendo aceita pela maioria dos cientistas.

GALILEU GALILEI
ESTA FOI SUA VIDA

Revolucionou:
a astronomia e a física

PRINCIPAIS DESCOBERTAS:
- lei do movimento
- lei do pêndulo
- lei da queda dos corpos
- luas de Júpiter
- estrutura do sistema solar

INTERESSE NÃO CIENTÍFICO:
vinho

Com a modéstia de sempre (a *falsa* modéstia, na verdade), Galileu escreveu em *Duas novas ciências*: "Foram abertos assim, para essa vasta e excelentíssima ciência (...) caminhos e meios graças aos quais outros espíritos, mais agudos que o meu, explorarão seus rincões mais remotos (...)".

Um desses grandes espíritos nasceu em 1642, ano da morte de Galileu...

ISAAC NEWTON E SUA ATRAÇÃO UNIVERSAL

Isaac Newton é um dos maiores cientistas de todos os tempos, mas não era tão fissurado assim em ciência — às vezes até se enchia dela. Esquisito, né? De fato, é inédito um cientista famoso — qualquer cientista, aliás — se relacionar assim com a ciência. Veja só o Galileu: ele adorava a ciência, adorava tanto que era capaz de arriscar quase tudo por ela, até a própria pele. Os outros cientistas deste livro também — mais ou menos. Mas o Isaac, não.

Isaac nasceu numa fazendola em Woolsthorpe, condado de Lincolnshire, Inglaterra, no gelado dia de Natal de 1642. Ele era minúsculo, fraco, e achavam que não ia sobreviver. Esse mau começo foi seguido de uma infância igualmente complicada, em parte porque ele era tão geninho que tinha dificuldade para se relacionar com as outras pessoas, mas principalmente porque, além de nem ter conhecido o pai, que morreu antes de ele nascer, foi abandonado pela mãe. Como era filho único, ele e sua mãe, Hannah, foram muito apegados até seus três anos, quando Hannah se casou com um ricaço, muito mais velho que ela, e foi morar com ele, deixando Isaac com os avós.

Isaac Newton e sua atração universal

Oito anos mais tarde, o marido morreu e ela voltou para casa, trazendo os três filhos do segundo casamento, com os quais Isaac não se deu nada bem. Foi até bom ele ir para a escola, um ano depois. Como a escola ficava em outra cidade, a dez quilômetros da sua, Isaac passava a semana na casa do farmacêutico de lá, o sr. Clark, que lhe emprestava livros de ciências, ensinava-lhe os segredos da Corporação dos Farmacêuticos e deixava-o preparar medicamentos. Como este:

1. PEGUE 300 CENTOPEIAS.	2. ARRANQUE A CABEÇA DELAS.	3. ESMAGUE DEVAGARINHO.
4. MISTURE COM MENTA, FOLHA DE ABSINTO E CERVEJA.	5. BEBA DE UM SÓ GOLE.	6. E AQUELA DOR NÃO VAI MAIS DOER TANTO.

Foi bom Isaac aprender um pouco de ciência com o sr. Clark (por mais nojenta e inútil que fosse), porque na escola não tinha aulas disso. Lá, ensinavam principalmente latim, grego e escrituras (Bíblia). Aliás, Isaac adorava os estudos bíblicos.

Também gostava muito de ler. Descobriu um calhamaço chamado *Os mistérios da natureza e da arte*, cujas instruções seguiu para fazer relógios, rodas-d'água e até discos voadores.

> NEWTON
> LANTERNA DE PAPEL COM UMA VELA DENTRO
> OIA, ZÉ, UMA SOMBRAÇÃO!

A mãe do Isaac, que achava a ciência uma bobagem, tirou-o da escola por um tempo, para que ele a ajudasse na fazenda. Para sorte dele, Isaac era superdesastrado e atrapalhava muito mais do que ajudava, de modo que Hannah mandou-o rapidinho de volta para o colégio, onde ele pôde se preparar para estudar na Universidade de Cambridge.

A essa altura, sua mãe estava muito bem de vida: tinha uma polpuda herança deixada pelo marido e Isaac não estava por perto para lhe arruinar a fazenda. Ou seja, ela podia perfeitamente financiar seus estudos e lhe dar uma boa mesada. Podia, mas não fez. De modo que ele entrou para a universidade como *subsizar*, uma espécie de criado encarregado de tarefas agradabilíssimas, como limpar o quarto e esvaziar o penico dos estudantes endinheirados, coisas assim, todas ótimas para moldar o caráter. No caso do Isaac, moldou um caráter irritadiço e desconfiado.

Luz, exames e pulgas

Em 1663, aos 21 anos de idade, Isaac de repente começou a cismar com as teorias sobre o Universo que circulavam na época, porque achava que elas não explicavam direito uma porção de coisas. Assim, ainda na universidade, já dava início às suas pesquisas pessoais.

Um belo dia, comprou um prisma para fazer aqueles arco-íris na parede do quarto. Como a maioria das pessoas, achava lindas aquelas cores todas (especialmente o vermelho); mas, ao contrário da maioria das pessoas, o que ele queria mesmo era entender como funcionavam. Fez várias outras experiências com a luz, por exemplo: cutucou a parte de trás do olho com uma faquinha e ficou olhando um tempão para o Sol, para ver o que acontecia. Por incrível que pareça, não se cegou.

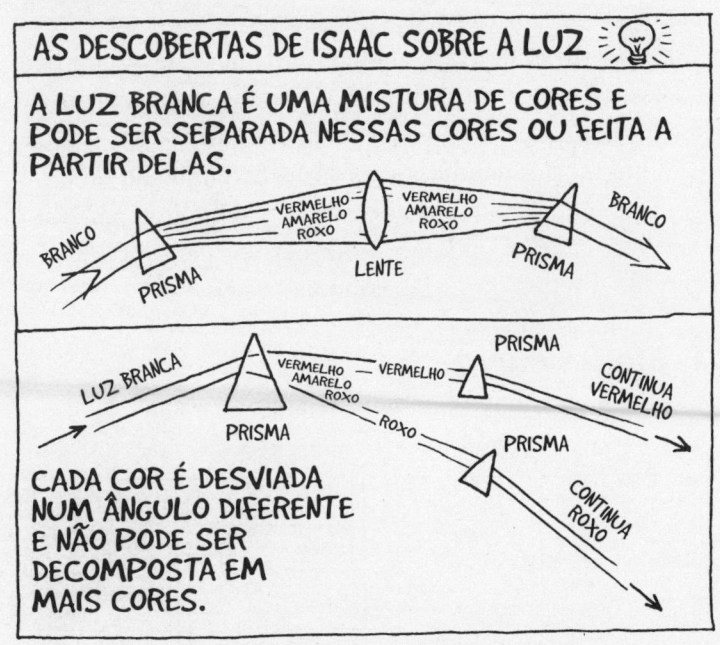

```
AS DESCOBERTAS DE ISAAC SOBRE A LUZ
```

A LUZ BRANCA É UMA MISTURA DE CORES E PODE SER SEPARADA NESSAS CORES OU FEITA A PARTIR DELAS.

CADA COR É DESVIADA NUM ÂNGULO DIFERENTE E NÃO PODE SER DECOMPOSTA EM MAIS CORES.

Em 1664, Isaac mergulhou fundo na matemática e logo, logo virou um craque na matéria. Resumindo: estava pronto para ser um cientista de primeira linha — era só passar nos exames e poderia continuar em Cambridge, que, apesar dos penicos, era o lugar ideal para ele.

PASSAR NOS EXAMES?

É. Como os outros cientistas-crânios, Isaac preferia trabalhar por conta própria e, como não se interessava muito pelas matérias do currículo, não era nada garantido que conseguisse passar. Mas passou. Raspando. No entanto, mal assegurou seu futuro em Cambridge, teve de sair chispando de lá. Por causa das pulgas.

Em 1665, Cambridge era repleta de ratos, tal como Londres e todas as outras cidades. Os ratos eram repletos de pulgas e as pulgas eram repletas de peste. As pessoas começaram a morrer em massa por lá — numa média de 7 mil por dia! A universidade foi fechada e Isaac voltou para casa, em Woolsthorpe, onde ficou por dezoito meses. O que fez durante esse tempo revolucionou a ciência.

Fruta na cuca

Um dia — pelo menos é o que contam — Isaac estava sentado no pomar quando...

PLOF!

... o que o levou a pensar sobre a gravidade. Não se sabe exatamente o que pensou, mas eis algumas hipóteses:

> **Caderno perdido do Isaac**
>
> ① A GRAVIDADE DA TERRA ATRAI AS MAÇÃS.
> (MACIEIRA, TERRA, EU, PENSANDO)
>
> ② TALVEZ A GRAVIDADE DA TERRA ATRAIA A LUA.
> (TERRA, LUA)
>
> ③ ENTÃO POR QUE A LUA NÃO CAI?
>
> ④ SERÁ PORQUE ELA GIRA EM TORNO DA TERRA?
> (LUA, TERRA, BANG! BOM! BANG!)
>
> ⑤ GIRANDO RÁPIDO O BASTANTE, A LUA EVITA SE CHOCAR COM A TERRA E PASSA A ORBITAR NOSSO PLANETA!

Até aqui, a teoria do Isaac fazia sentido. Mas havia outras teorias circulando também, como a de Descartes, que achava que havia uma espécie de mar enorme e invisível que arrastava a Lua em torno da Terra e a Terra em torno do Sol. Era uma ideia bacana, mas não havia nada que indicasse a existência desse mar. Para descobrir se a sua ideia tinha algum fundamento, Isaac fez o que Galileu achava que todo bom cientista devia fazer: aplicou a matemática ao problema, para ver se sua teoria funcionava. Na época, Kepler (que conhecemos no capítulo anterior) havia calculado a velocidade e a órbita dos planetas. Agora Isaac tinha de calcular que força de atração o Sol precisava exercer sobre eles para que essas velocidades e órbitas tivessem sentido. Ele concluiu que a lei que a determinava devia ser mais ou menos assim:

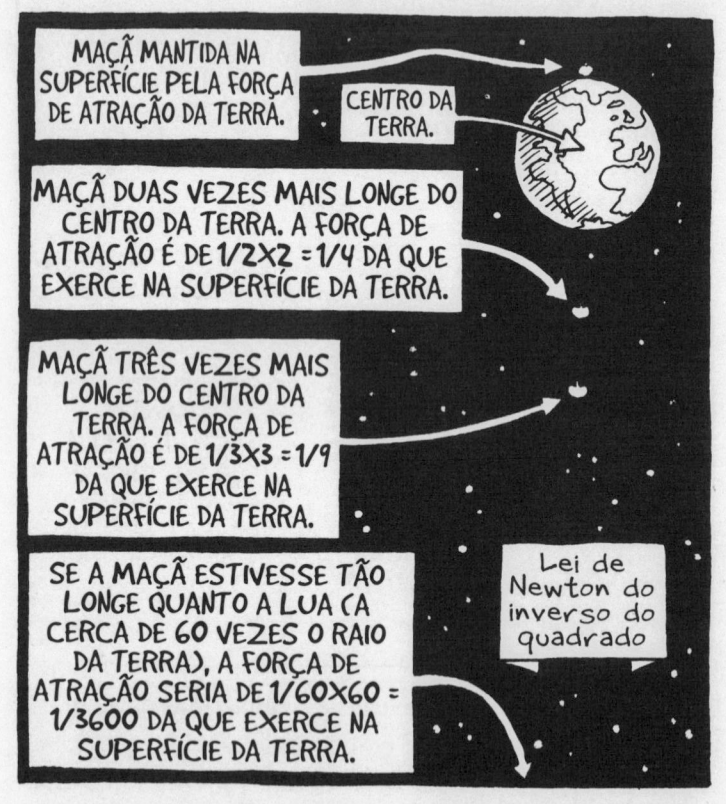

> MAÇÃ MANTIDA NA SUPERFÍCIE PELA FORÇA DE ATRAÇÃO DA TERRA.
>
> CENTRO DA TERRA.
>
> MAÇÃ DUAS VEZES MAIS LONGE DO CENTRO DA TERRA. A FORÇA DE ATRAÇÃO É DE $1/2 \times 2 = 1/4$ DA QUE EXERCE NA SUPERFÍCIE DA TERRA.
>
> MAÇÃ TRÊS VEZES MAIS LONGE DO CENTRO DA TERRA. A FORÇA DE ATRAÇÃO É DE $1/3 \times 3 = 1/9$ DA QUE EXERCE NA SUPERFÍCIE DA TERRA.
>
> SE A MAÇÃ ESTIVESSE TÃO LONGE QUANTO A LUA (A CERCA DE 60 VEZES O RAIO DA TERRA), A FORÇA DE ATRAÇÃO SERIA DE $1/60 \times 60 = 1/3600$ DA QUE EXERCE NA SUPERFÍCIE DA TERRA.
>
> Lei de Newton do inverso do quadrado

Quanto mais forte a força de atração sobre a Lua, mais rápido ela se move para não cair na Terra. Como a velocidade da Lua era conhecida, Isaac podia verificar se a força de atração gravitacional prevista pela lei do inverso do quadrado da distância coincidia com a força necessária para explicar a velocidade da Lua. Mas a resposta não bateu exatamente com a previsão das equações de Isaac. Chato, né?

Ciência secreta

Galileu não podia levar muito longe sua ideia de aplicar a matemática à física, porque a matemática era muito limitada em seu tempo: ela se resumia à geometria e à aritmética. Isaac tinha algo muito melhor. Antes de sair de Cambridge, ele havia começado a desenvolver o que hoje se chama cálculo infinitesimal e que serve, entre outras coisas, para determinar a trajetória de objetos em movimento. Sem ele, só dá para lidar com objetos que aumentam ou reduzem a velocidade ou orbitam outro usando meios matemáticos muito demorados, complicados e, ainda por cima, imprecisos — como Galileu teve de fazer.

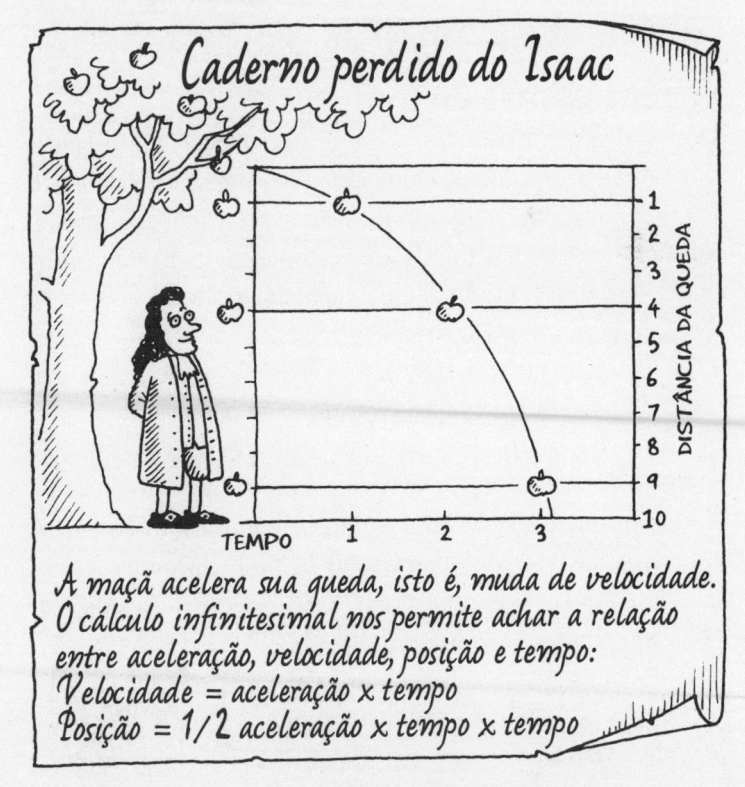

Caderno perdido do Isaac

A maçã acelera sua queda, isto é, muda de velocidade. O cálculo infinitesimal nos permite achar a relação entre aceleração, velocidade, posição e tempo:

Velocidade = aceleração × tempo
Posição = 1/2 aceleração × tempo × tempo

SEGREDOS DA CIÊNCIA
O cálculo infinitesimal (ou cálculo, simplesmente) é a principal ferramenta matemática com que os cientistas testam suas teorias. É aplicado a tudo, desde projetar carros até calcular a origem do Universo.

Se você tivesse inventado uma chave para abrir os segredos do Universo, você não sairia por aí divulgando seu achado aos quatro ventos? Pois foi exatamente o que o Isaac NÃO fez: por anos a fio, ele não contou nada a ninguém e nunca permitiu que seu cálculo fosse inteiramente publicado. O que levou a uma série de controvérsias mais tarde.

O professor Newton

Depois de acabar com muita gente, a peste acabou acabando. Em Londres, seu fim foi ajudado por outro fato célebre: o Grande Incêndio, que destruiu boa parte da cidade. Isaac voltou para a Universidade de Cambridge, onde arranjou uma bolsa de estudos, em troca de vinte aulas por ano — que ele dava, embora muitas vezes não preparasse nada para ensinar. Aliás, os alunos não precisavam assistir a elas, pois suas matérias não caíam em exame. Azar dos que não assistiam, porque, entre outras coisas, nelas Isaac explicava suas descobertas sobre a luz, que iriam mudar o mundo. Por outro lado, os alunos que iam às suas aulas não se entusiasmavam muito com elas, vai ver por serem meio incompreensíveis. Assim, muitas vezes Isaac lecionava durante uns quinze minutos para uma sala vazia, depois pegava suas coisas e ia embora para...

... SE DEDICAR ÀS SUAS PESQUISAS, IMAGINO.

Que nada! Por um bom tempo, Isaac levou uma vida de estudante, isso sim...

Isaac fez amizade com o professor Isaac Barrow, um supermatemático que logo havia percebido que seu xará era um gênio. Quando Barrow abandonou sua cátedra, em 1669, para ir trabalhar em Londres, recomendou Isaac como substituto. E foi assim que, aos 26 anos, ele virou propriamente professor.

Segredos e mistérios

Bom, agora Isaac tinha bastante tempo para continuar a pesquisar o Universo empregando a sua matemática secreta. Mas, na verdade, ele passava um tempão fazendo várias outras coisas. Meio malucas, diga-se de passagem.

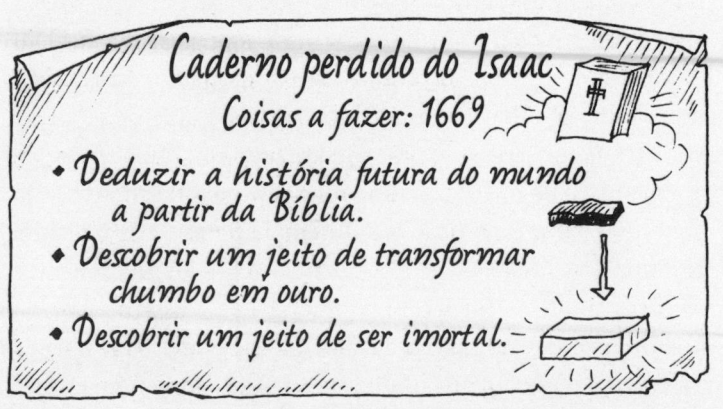

Caderno perdido do Isaac
Coisas a fazer: 1669

- Deduzir a história futura do mundo a partir da Bíblia.
- Descobrir um jeito de transformar chumbo em ouro.
- Descobrir um jeito de ser imortal.

Por que Isaac se interessava tanto por tudo isso? Por um lado, parece que ele achava que antigamente houve gênios que sabiam todas essas coisas e mais algumas.

Não, sinto muito, não são vocês. A identidade dos gênios tinha se perdido, mas seus incríveis conhecimentos eram lendários.

Isaac estava decidido a desencavar esses segredos perdidos. Por outro lado, ele acreditava profundamente em Deus. Mas também acreditava profundamente na ciência. Isso logo o levou a perceber, tal como Galileu, que a Bíblia podia não estar certa. Por exemplo, a ideia religiosa consagrada na época era que, embora houvesse um só Deus, havia além dele Jesus Cristo e o Espírito Santo, e os três eram iguais e um só, de alguma forma misteriosa. Isaac achava que isso era bobagem e que a explicação costumeira, que repousava apenas na fé — isto é, sem explicação racional nem prova alguma —, era uma base tosca demais para o cristianismo. Nem passava pela cabeça do Isaac rejeitar a Bíblia por inteiro, pois tinha a convicção de que ela se baseava, sim, na realidade (como a maioria das pessoas na época). Ele apenas precisava fazer com que as duas teorias funcionassem juntas.

Isaac Newton e sua atração universal

Para desvendar o Universo, Isaac seguia três caminhos: a física matemática, a análise da Bíblia e a alquimia (que era uma mistura de magia e química). Essas ferramentas levaram Isaac a trabalhar em direções muito bizarras. Por exemplo, ele achava que as medidas de um templo antigo, dadas na Bíblia, escondiam segredos do passado e do futuro, e levou anos tentando decodificá-las.

Dois desses caminhos não o levaram a lugar nenhum, enquanto trilhando o outro fez a ciência progredir mais do que qualquer outro cientista em toda a história. Adivinhe qual dos três.

Então, se sob alguns aspectos Isaac era um bocado antiquado, sob outros — em particular, o uso da matemática para solucionar problemas da física — era moderníssimo. Outra coisa moderníssima era a sua determinação de evitar "hipóteses", ou seja, inventar teorias baseadas em coisas que não podiam ser comprovadas — como o tal mar invisível de Descartes.

Coisas de gênio

É difícil imaginar como Isaac fazia para chegar às suas incríveis descobertas. Ele disse que o segredo era simples: "Pensar o tempo todo [no que se está buscando]. Eu mantenho o tema constantemente diante de mim e espero até que os primeiros lampejos se transformem pouco a pouco em plena luz". O único problema é que concentrar-se tanto assim tornava-o meio distraído. Uma vez ele subiu um morro puxando o cavalo pela rédea e só quando chegou no alto percebeu que estava puxando só a rédea. Outra vez, convidou um amigo para jantar e não só esqueceu de pedir comida para os dois, como também que o amigo estava lá. Ainda bem que também se esqueceu de comer o que pedira para si, e quem acabou comendo foi o amigo. Quando

Isaac viu o prato vazio, exclamou: "Ora essa, achei que ainda não tinha jantado, só agora percebi que já jantei".

O clube da ciência

Isaac não era apenas um gênio da matemática. Também tinha uma incrível habilidade com as mãos, e uma das coisas que fez com elas foi um telescópio. Galileu também havia sido um excelente construtor de telescópios, mas os dele não eram muito satisfatórios, porque produziam um arco-íris que prejudicava a observação. As experiências de Isaac sobre a luz o levaram a concluir que isso era inevitável: toda lente produzia arco-íris.

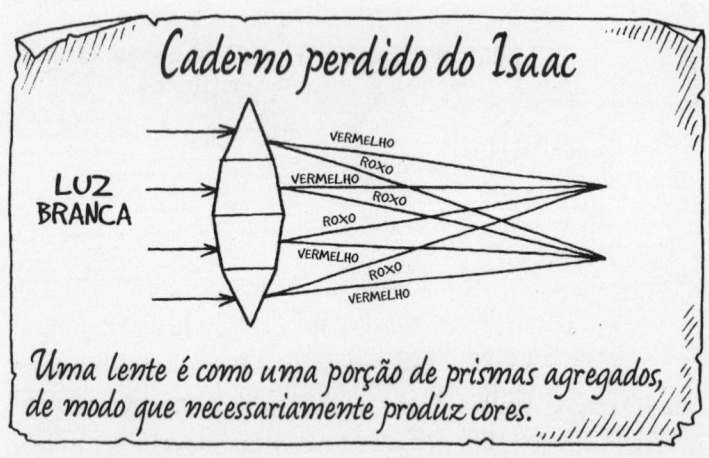

Caderno perdido do Isaac

LUZ BRANCA → VERMELHO / ROXO / VERMELHO / ROXO / ROXO / VERMELHO / ROXO / VERMELHO

Uma lente é como uma porção de prismas agregados, de modo que necessariamente produz cores.

Na verdade, ele estava enganado, mas foi em frente e construiu um novo tipo de telescópio, com um espelho em vez de uma lente. Já tinham tentado fazer isso antes, mas Isaac é que acabou conseguindo. Ele até fabricou ferramentas para construí-lo. Era um aparelho formidável, e Isaac (Barrow) convidou Isaac (Newton) a mostrá-lo a seus colegas da Royal Society, um clube científico recentemente criado pelo rei da Inglaterra e cheio de membros famosos.

Isaac Newton e sua atração universal

Mas o clube também organizava umas conferências meio esquisitas, inclusive sobre lobisomens...

A Royal Society adorou o telescópio do Isaac e, quando ele construiu um para seus membros, estes o convidaram a entrar para o clube. Isaac sentiu-se muito honrado e mandou-lhes um escrito com suas descobertas sobre a luz e a cor. Os membros da Royal Society gostaram muito do trabalho, menos Robert Hooke, que era um grande cientista, mas um grande invejoso também.

Apesar de Galileu, o método científico ainda não havia se firmado, de modo que ninguém verificou se o escrito do Isaac estava certo ou errado antes de discutirem sobre ele meses a fio. Quando finalmente resolveram checar, viram, é claro, que tudo o que Isaac dizia estava certo.

Ao contrário de Galileu, que adorava um bom bate-boca, Isaac detestava discussões. E como, ainda por cima, andava cheio daquilo tudo, respondeu brilhantemente a todas as críticas ao seu escrito e caiu fora de Cambridge, para se dedicar um pouco à alquimia. Na verdade, caiu fora das ciências em geral e da Royal Society em particular. Disse:

> *Vejo que me tornei um escravo da filosofia [= física]... Estou decidido a dar adeus eternamente a ela, salvo o que faço para minha satisfação pessoal... porque percebo que um homem tem de optar entre não criar nada de novo e se tornar um escravo em defesa do que criou.*

Na mesma reunião de 1672 em que o telescópio do Isaac foi mostrado, anunciou-se uma nova medida do tamanho da Terra. Isaac, inexplicavelmente, nem deu bola para a novidade, muito embora deva ter se dado conta de que ela podia mostrar que, afinal de contas, sua previsão da órbita da Lua estava correta. Três anos depois, o anúncio era publicado no jornal da Royal Society. De novo, Isaac não se manifestou. Mas, em 1682, Isaac estava na Royal Society quando houve uma discussão sobre a medição da Terra feita por Picard. Desta vez, ele fez seus cálculos de novo e descobriu que sua velha teoria, de dezessete anos antes, dava a velocidade certinha da órbita da Lua, se usado o valor correto do diâmetro da Terra. Foi um momento decisivo da história da ciência: estava provado que uma simples lei matemática explicava o movimento dos planetas — movimento que as pessoas, inclusive Aristóteles e Galileu, vinham tentando explicar havia milhares de anos.

Isaac não se manifestou a respeito.

Se o houvessem esquecido, ele poderia perfeitamente nunca mais ter feito ciência nem publicado nada do que descobrira. Ao contrário de todos os grandes cientistas, parecia não achar a ciência a coisa mais importante de sua vida. Durante breves períodos, sentia-se inspirado a se dedicar um pouco a ela e fazia o conhecimento humano dar um enorme passo adiante na compreensão do Universo. Depois, voltava-se para a alquimia, para a Bíblia ou alguma outra coisa, na esperança de que revelassem outros segredos do Universo. É impossível imaginar o que teria feito se tivesse se dedicado à ciência a vida toda. Também parece incrível que não notasse a diferença entre o extraordinário sucesso da sua ciência e o fracasso retumbante das suas outras pesquisas.

De olho no céu

Lembra-se que em 1618 três cometas apareceram, mudando a vida de Galileu? Coisa parecida aconteceu com Isaac em 1680. Apareceu um cometa e um cientista chamado Edmund Halley tratou logo de estudá-lo. Todo mundo ficou fascinado ao saber que o cometa e os planetas se moviam descrevendo órbitas elípticas; mas gente como Christopher Wren (um arquiteto famoso), Robert Hooke e muitos outros queriam saber, além disso, por que era assim. Alguns achavam que era porque obedeciam à lei do inverso do quadrado (ver página 54), mas era apenas uma suposição.

Robert Hooke disse ser capaz de demonstrar que a lei do inverso do quadrado explicava por que os planetas se moviam em elipse, e Christopher Wren disse que daria de prêmio a ele e a Edmund Halley um livro valiosíssimo se fossem mesmo capazes de prová-lo. Mas eles não foram — e, ao que parece, ninguém foi. Assim, em agosto de 1684, Edmund viajou a Cambridge para ver se o famosérrimo Isaac não poderia dar uma mãozinha naquele caso, e Isaac revelou-lhe que já tinha provado aquilo séculos atrás!

Meses depois, Isaac mandou a Edmund Halley a prova — e um montão de outras junto. Foi mais do que suficiente para convencer Edmund de que Isaac era um supermegagênio. Nos meses seguintes Edmund usou de toda a sua lábia para convencer o rabugento Isaac a escrever um livro sobre o movimento. Tanto lhe encheu a paciência, que Isaac resolveu escrever. E mergulhou de cabeça no trabalho. Ele se entusiasmou tanto que quase parou de comer e de dormir, e viam-no vagar com frequência por Cambridge nas horas em que devia estar cuidando da vida, e de repente sair correndo para casa, onde botava no papel uma nova descoberta, sem nem mesmo se dar ao tempo de sentar.

O resultado foi um livro tão importante quanto o de Galileu, mas com um título bem mais curto. Isaac chamou-o de *Princípios matemáticos da filosofia natural*. Hoje em dia a obra é mais conhecida pela primeira palavra do seu título em latim: *Principia*.

Listinha de leitura

Ao contrário de Galileu, Isaac não se preocupava nem um pouco com escrever de uma maneira que qualquer um pudesse entender — evitava assim um monte de perguntas cretinas. Foi por isso que não só escreveu em latim, mas em latim complicado. Como se não bastasse, embora utilizasse seu cálculo secreto para chegar aos resultados, usava a antiga linguagem geométrica, parecida com a de Galileu, para explicá-los. Em compensação, forneceu um pequeno rol de livros que ajudariam as pessoas a entender o *Principia*:

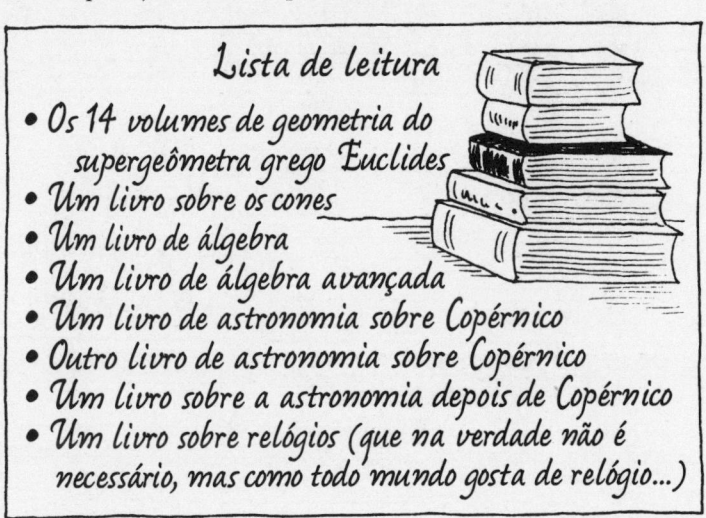

> ## Lista de leitura
> - Os 14 volumes de geometria do supergeômetra grego Euclides
> - Um livro sobre os cones
> - Um livro de álgebra
> - Um livro de álgebra avançada
> - Um livro de astronomia sobre Copérnico
> - Outro livro de astronomia sobre Copérnico
> - Um livro sobre a astronomia depois de Copérnico
> - Um livro sobre relógios (que na verdade não é necessário, mas como todo mundo gosta de relógio...)

De modo que o *Principia* era uma leitura meio indigesta. E era construído de tal forma que você não podia pular as passagens chatas e ir direto às mais interessantes. Tinha de ler do princípio ao fim para ter uma leve chance de entender.

O *Principia* dizia o seguinte:

> ## Leis do movimento
> Primeira lei (descoberta por Galileu)
> Um objeto em movimento continuará em movimento
>
> a não ser que trombe com outro parado.

Segunda lei
Se você bate num objeto, a nova velocidade e a nova direção do objeto dependem de com que força e em que direção você bateu.

Terceira lei
Se um objeto afeta o movimento de outro, também é afetado por ele.

Lei da gravidade
Todo objeto do Universo atrai qualquer outro objeto, e a atração gravitacional entre os dois objetos (por exemplo, a maçã e a Terra) é tanto maior quanto mais maciço o objeto, e tanto menor quanto mais longe estão um do outro.

Muito pouca gente entendeu o *Principia*, mas ele tornou o Isaac famoso. No livro, depois de uma porção de trechos duros de roer, Isaac diz repentinamente de forma dramática: "Agora já demonstrei a estrutura do sistema do mundo". E tinha demonstrado mesmo. Ele criou um modelo matemático para todo o sistema solar, que não apenas o explica mas permite que se preveja seu futuro. Como se não bastasse, explicava como pesar os planetas.

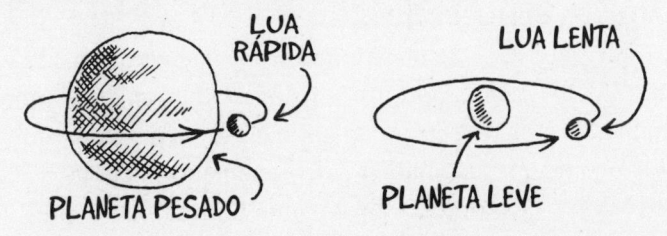

LUA RÁPIDA **LUA LENTA**
PLANETA PESADO **PLANETA LEVE**

Os planetas com luas mantêm suas luas no lugar graças à gravidade. Quanto mais pesado o planeta, maior a sua gravidade, logo mais depressa sua(s) lua(s) o orbita(m) para não se espatifar(em) nele. Logo, medindo-se a velocidade de uma lua, pode-se calcular a massa do planeta.

Ele teve sucesso inclusive onde Aristóteles e Galileu tinham fracassado: Isaac explicou as marés!

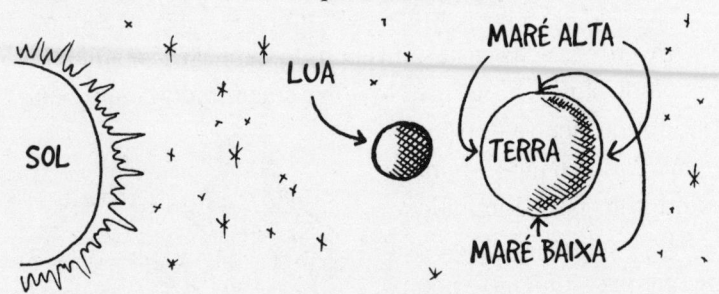

SOL **LUA** **MARÉ ALTA** **TERRA** **MARÉ BAIXA**

As marés são causadas principalmente pela gravidade da Lua e parcialmente pela gravidade do Sol. Quando o Sol, a Terra e a Lua estão alinhados, a maré é mais alta.

> **SEGREDOS DA CIÊNCIA**
>
> As duas leis do Isaac — a da gravitação e a do movimento — foram usadas para prever o futuro, elucidar o passado e entender o presente. Foram elas que levaram os astronautas à Lua e as sondas espaciais aos planetas.

Um inverno esquisito

Ao que parece, Isaac teve poucos casos de amor na sua vida, mas há indícios de um ou dois. Um com uma moça chamada Catherine Storer, quando ele tinha dezessete anos, outro com um matemático suíço chamado Nicholas Fatio de Duillier, quando ele estava com 51 anos, logo depois de escrever o *Principia*. As poucas cartas trocadas por Isaac e Nicholas a chegar até nós tiveram tantos trechos cortados que não se sabe grande coisa da relação dos dois (em todo caso, se ele fosse gay teria, naqueles tempos, que manter isso em segredo mesmo).

No inverno de 1692-3, alguma coisa aconteceu com o Isaac. Ele teve uma espécie de pane mental e começou a escrever cartas esquisitíssimas aos amigos. Estes passaram a se divertir às suas custas, inventando explicações para aquelas esquisitices. Será que ele tinha encontrado algum historiador da ciência que havia viajado no tempo e vindo do futuro para admirá-lo?

Em todo caso, Isaac recuperou-se quando encontrou um novo desafio — que não tinha nada a ver com a ciência. Ele foi nomeado inspetor da Moeda. A Casa da Moeda era o lugar em que se fabricavam — adivinhe o quê? — as moedas do país, e estava com um probleminha: uns espertalhões raspavam as moedas em circulação e, com as raspas, faziam outras moedas. Assim, quando Isaac entrou em cena, elas pesavam em média a metade do que deviam. E daí? E daí que as moedas eram feitas com metais nobres e valiam quanto pesavam.

Isaac empolgou-se com seu novo trabalho, quase tanto quanto tinha se empolgado com a escrita do *Principia*. Inventou uma moeda com uma beirada que permitia ver se ela tinha sido adulterada ou não e tornou a Casa da Moeda muito mais eficiente. Além disso, às vezes perseguia os falsários pessoalmente, prendia-os e mandava-os para a forca. Chegava a usar roupa de malandro para se aproximar deles.

O oceano da verdade

Em 1703, Hooke, o velho rival de Isaac, morreu. Com Hooke e suas críticas fora da Royal Society, Isaac interessou-se de novo por ela. Aliás, ele manobrou para ser eleito o mandachuva do clube. Seu título era de presidente, mas ele agia muito mais como um ditador, obrigando a Society a adotar novas ideias, expulsando as pessoas de que não gostava e tornando-a tão organizada quanto a Casa da Moeda. Acabaram-se as especulações sobre lobisomens: a Royal Society passou a ocupar-se só de ciência.

E o Isaac também, aliás. Ele reuniu todo o trabalho que havia feito em óptica e escreveu um livro intitulado... *Óptica*. Desta vez, talvez porque a idade o tivesse deixando mais tolerante, escreveu-o em inglês. Lá estavam seus estudos de 1663 (ver página 51), além de muita coisa nova.

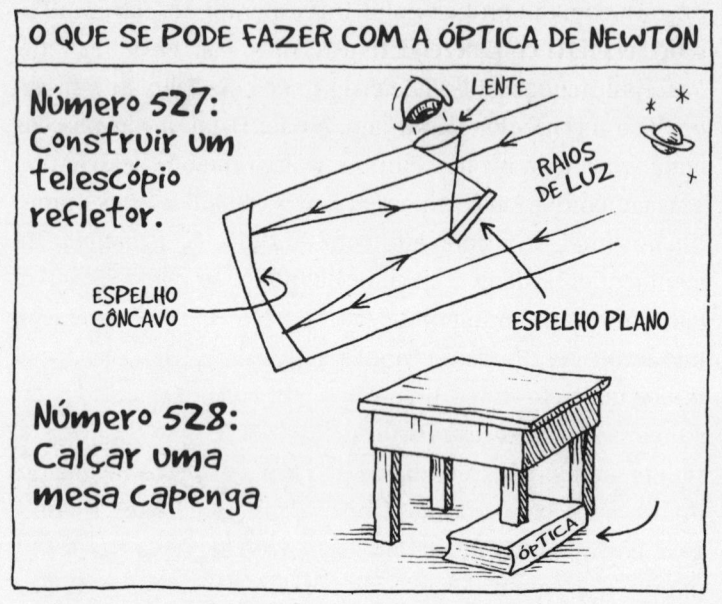

O QUE SE PODE FAZER COM A ÓPTICA DE NEWTON

Número 527: Construir um telescópio refletor.

LENTE
RAIOS DE LUZ
ESPELHO CÔNCAVO
ESPELHO PLANO

Número 528: Calçar uma mesa capenga

ÓPTICA

Óptica era um livro muito mais acessível do que o *Principia*. Ao escrevê-lo, Isaac descontraiu-se tanto que até especulou sobre coisas que não podia provar — algo que, alguns anos antes, ele jamais teria feito. Algumas dessas ideias levaram quase dois séculos para serem confirmadas. As mais importantes eram a de que as partículas de luz se comportavam como ondas e a de que matéria e luz podiam se transformar uma na outra. Infelizmente, ele não incluiu nenhum detalhe sobre essas teorias espantosamente avançadas.

Isaac foi o maior cientista que já existira até então, e ele sabia disso, mas sabia também que a ciência tinha um longo caminho pela frente. Não muito antes de morrer, disse que se sentia como "um garotinho brincando na praia e divertindo-se ao encontrar de vez em quando uma pedra mais lisa ou uma concha mais bonita que de costume, enquanto o grande oceano da verdade estava ali, desconhecido, diante dele".

Os últimos problemas

Pode ser que o Isaac tenha ficado mais bonzinho ao envelhecer. Ele era, não há dúvida, muito bom com a família e os amigos, e lhes dava dinheiro a rodo sempre que precisavam. Mas também se metia em brigas ferozes com outros cientistas.

Uma delas foi com Gottfried Leibniz, um matemático alemão que havia inventado o cálculo infinitesimal independentemente do Isaac. Após muito bate-boca, Isaac convocou um painel de cientistas para decidir quem havia inventado o cálculo, mas ele próprio escreveu o relatório conclusivo. Adivinhe o que o relatório concluía?

Depois foi a vez de Flamsteed, um astrônomo cujos dados sobre a Lua seriam úteis para que Isaac provasse algumas partes das suas teorias. Flamsteed relutava em fornecê-los, e Isaac escreveu-lhe cartas cada vez mais insultuosas a esse respeito. Por fim, os dois quebraram o maior pau, e, segundo Flamsteed, começou assim:

E foi daí pra baixo, com Isaac chamando Flamsteed pelos nomes mais horríveis.

Depois de destroçar todos os seus rivais, os últimos anos do Isaac foram bem calmos. Morreu com 84, sem se queixar das dores que sua doença lhe causava e sem mostrar medo da morte. Foi enterrado na abadia de Westminster e é desde então um dos maiores mortos de fama.

Com toda razão. Isaac foi um gênio único, que não só criou os instrumentos teóricos e práticos de que necessitava (como o cálculo e o telescópio), e a mais poderosa teoria científica de todos os tempos, como obteve os mais extraordinários resultados com seus trabalhos. E olhem que ele considerava a ciência apenas uma atividade complementar, mais um navio para explorar o oceano da verdade.

ISAAC NEWTON
ESTA FOI SUA VIDA

Revolucionou:
a física, a matemática e a astronomia

PRINCIPAIS DESCOBERTAS:
- cálculo infinitesimal
- leis do movimento
- lei da gravitação
- leis da óptica

INTERESSES NÃO CIENTÍFICOS:
alquimia, Bíblia, cores

MICHAEL FARADAY E SUAS EXPERIÊNCIAS ELETRIZANTES

Michael Faraday nasceu num cortiço de Londres em 1791. Seus pais eram paupérrimos, o que significava que ele não tinha grandes chances de estudar, muito menos de se tornar matemático. Pois, apesar de todos esses pesares, fez grandes descobertas em química e física, inventou novas formas de tecnologia que permitiram o deslanche da indústria elétrica no mundo e, junto com Galileu, foi um dos maiores físicos experimentais de todos os tempos.

A falta de dinheiro obrigou Michael a interromper os estudos aos treze anos, para trabalhar como office boy de um encadernador de livros chamado monsieur Riebau. Como Michael era de toda confiança, muito inteligente e trabalhador, monsieur Riebau logo o promoveu a aprendiz de encadernador. Pode não parecer um início de carreira muito promissor para um supercientista, mas na verdade foi utilíssimo: ele pôde ler um montão de livros (os que encadernava) e logo desenvolveu com sua leitura um fascínio pela ciência. Interessou-se especialmente por um verbete sobre a eletricidade da *Enciclopédia britânica* e construiu várias engenhocas elétricas.

Os cientistas e seus experimentos de arromba

Além de ler e encadernar livros, Michael costumava cantar com os outros aprendizes (um deles virou cantor profissional; outro, ator de teatro). Pode ser que tanta cantoria enchesse a paciência de monsieur Riebau, mas pode ser também que criasse um ambiente de trabalho agradável.

Michael tinha um irmão mais velho chamado Tom, que às vezes lhe dava uns trocados, e Michael gastava-os assistindo a conferências sobre ciências. Gostava tanto que não só tomava notas do que ouvia, como escrevia sobre elas, ilustrava-as (era um bom artista e sua imaginação visual compensou sua insuficiência em matemática, quando se tornou cientista) e encadernava-as. Uma das séries de conferências foi dada por um cientista chamado Humphry Davy, que era professor de química de uma sociedade científica chamada Royal Institution. Humphry era tão interessante (para não dizer que era um gato) que suas conferências viviam lotadas de grã-finas "cabeças" — o que era ótimo para o caixa da Royal Institution.

Início explosivo

Michael adorava as conferências de Davy, que o deixavam cada vez mais apaixonado pela ciência e pela ideia de ser cientista. Um dia, mandou a Humphry as anotações encadernadas que fizera das conferências do próprio Humphry, e este o convidou para um chá. Um cientista famoso convidar um garoto operário para tomar chá era algo nada comum naquela época! Michael aceitou todo animado, mas ficou desapontadíssimo quando Humphry lhe aconselhou que, como emprego na área de ciências era coisa rara, o melhor mesmo era Michael continuar encadernando livros.

Até que num belo dia de outubro de 1812...

Humphry se machucou um bocado e, lembrando-se de como Michael era inteligente, convidou-o para auxiliá-lo temporariamente. Michael adorava o trabalho, e Davy ficou tão impressionado que, quando despediu um dos seus assistentes por ter puxado briga com outro, ofereceu a Michael um emprego permanente, com o estupendo salário de uma libra por ano. Michael aceitou na hora e em março de 1813 começou a trabalhar como assistente químico.

Os meses seguintes foram inteiramente dedicados à ciência, e Michael adorava o que fazia, apesar dos riscos.

Os cientistas e seus experimentos de arromba

> **Diário secreto de laboratório, 1813**
> Terça, 7 da noite
> Meu primeiro dia como assistente químico! Oba! Foi o máximo! Mas teve uma explosãozinha, de modo que

> Segunda
> Trabalhei com tricloreto de nitrogênio. Explodiu duas vezes.

> Terça
> Dia calmo hoje. Só uma explosão.
>
> 15h
> Humphry me deu uma ótima notícia: vai me levar com ele numa viagem científica pela Europa! Não vejo a hora de partir!
>
> 15h10
> Humphry me deu uma péssima notícia: vou ter de pajear a mulher dele!

A sra. Davy era grosseira, mandona, arrogante, mal-humorada, reclamona — resumindo: um horror! Como se não bastasse esse horror, a Inglaterra estava em guerra com a França. Menos mal que, naquele tempo, as pessoas achavam que ciência era uma coisa tão fora da realidade prática que não podia ter nenhuma influência numa guerra; por isso, Napoleão deixou Michael, Humphry e a pavorosa sra. Davy viajarem à vontade pela França.

Michael Faraday e suas experiências eletrizantes

Nos dezoito meses seguintes...

Diário secreto de viagem

EXPERIÊNCIAS COM IODO E EXPLOSIVOS.

MEDIMOS A QUEDA DA PRESSÃO DO AR CONFORME A ALTURA.

QUEIMAMOS DIAMANTES CONCENTRANDO RAIOS SOLARES COM LENTE.

VI O TELESCÓPIO DE GALILEU!

CONHECI VOLTA, O INVENTOR DA PILHA.

TEMPESTADE BRAVA AMANSOU A SRA. DAVY.

COZINHEI COM LAVA.

INGLATERRA · PAÍSES BAIXOS · ALEMANHA · PARIS · FRANÇA · ALPES · SUÍÇA · LYON · MILÃO · TURIM · NIMES · GÊNOVA · NICE · FLORENÇA · MONTPELLIER · ITÁLIA · ROMA · NÁPOLES · VESÚVIO

Michael não tinha muitos interesses fora da ciência. Ele tinha um hobby, mas não um desses normais, como colecionar selos ou borboletas. Era fazer cloro, um gás venenoso, de uma chamativa cor amarela esverdeada, que ele conseguiu liquefazer e combinar com carbono (foi o primeiro a fazer ambas as coisas). Com hobbies assim, não levou muito para Michael se tornar o químico nº 1 da cidade, descobrindo e inventando coisas como: ligas de aço, usadas em particular em instrumentos cirúrgicos (década de 1820), benzeno (1825) e vidro para lentes de telescópio (1829). Esse sucesso todo parece ter deixado o Humphry morto de inveja.

Um cara com muito magnetismo

A eletricidade ainda era uma descoberta bastante nova e exótica. A primeira pilha tinha sido inventada apenas em 1799 e tudo o que a maioria das pessoas sabia a seu respeito era que podia dar um choque desagradável. Os cientistas pensavam que a eletricidade era algum tipo bizarro de fluido. Isso explicava boa parte do que ela fazia, mas não uma nova descoberta de Hans Christian Oersted, em 1820.

Era muito estranho. Michael ficou fascinado e logo se apaixonou pela eletricidade — para o resto da vida. Só se separou dela por um breve instante, em 1821, para se casar com Sarah Barnard.

Michael tinha certeza de que a descoberta de Oersted podia ser invertida, isto é, que se podia criar eletricidade a partir do magnetismo. Ainda bem que era paciente, porque levou dez anos para provar sua tese, durante os quais se convenceu cada vez mais de que havia uma ligação fundamental entre as duas coisas:

> **Diário secreto de laboratório**
> Tenho certeza de que a natureza tem por base a simplicidade. Estou convencido de que a eletricidade, o magnetismo, a gravidade e outras forças estão relacionadas de algum modo. Será que não são apenas diferentes maneiras de considerar a mesma coisa?

Michael começou portanto a estudar o que o magnetismo era exatamente. E pouco a pouco se convenceu de que era um tipo de campo de força, um pouco como a gravidade.

A gravidade, agora que Newton havia descoberto a lei matemática que a governava, podia explicar o movimento de quase todos os objetos. Mas Isaac sabia que sua lei não podia explicar como os átomos interagiam. Aliás, o simples fato de ter pensado na existência de forças entre os átomos já é mais uma prova da sua genialidade, pois nem sequer a ideia de que os átomos existiam era totalmente aceita. (Foi só Albert Einstein quem provou que eles existiam mesmo.) Isaac até concebeu que as forças entre os átomos deviam estar mais para repulsões e atrações fortes do que para atrações fracas como a gravidade. Essas forças, na verdade, são forças eletromagnéticas, e Michael Faraday foi um dos cientistas a descobrir como elas agiam. Ele foi o primeiro a entender que coisas como magnetos (vulgo ímã), objetos carregados eletricamente, fios conduzindo eletricidade, planetas e maçãs agem uns sobre os outros criando em torno de si zonas de espaço misteriosamente cheias de força. Campos de força.

SEGREDOS DA CIÊNCIA

A ideia dos campos de força, que Faraday introduziu, revelou-se uma forma de explicar muita coisa do Universo. Vários cientistas, de Einstein para cá, pensavam — e pensam — que a totalidade do Universo, inclusive a matéria que ele contém, é na verdade um gigantesco, e gigantescamente complicado, campo de força.

CAMPO GRAVITACIONAL   CAMPO MAGNÉTICO   CAMPO ELÉTRICO

Este é mais um trabalho para...

Michael poderia ter progredido muito mais rápido, não fosse Humphry:

> MÁ NOTÍCIA: VOCÊ VAI PASSAR OS PRÓXIMOS ANOS ESTUDANDO VIDROS.
>
> BOA NOTÍCIA: VOCÊ VAI GANHAR UM ASSISTENTE PARA FAZER O TRABALHO MAIS CHATO.

O assistente era um tal de sargento Anderson, um cara do tipo "faça o que te mandam fazer sem abrir o bico", desses que o exército produz de montão. Mas Michael e ele se deram muito bem, trabalhando em silêncio horas a fio.

Vai ver que Humphry deu esse trabalho de propósito para ocupar o Michael, que assim não o passaria para trás. Pois o fato é que ele (Humphry) estava fulo da vida com ele (Michael), porque Michael tinha utilizado algumas das suas ideias (do Humphry) sobre a eletricidade sem citar seu nome (de Humphry) no artigo que escreveu. Humphry até votou contra o ingresso de Michael na Royal Society. Mas, por outro lado, foi Humphry que conseguiu promover Michael a diretor do laboratório da Royal Institution, em 1825.

Um dos aspectos do novo trabalho já conhecemos bem:

BAM!

Outro item que Michael tinha então na sua lista de coisas a fazer era salvar a Royal Institution do desastre iminente. A instituição não tinha grana, especialmente depois que Humphry, em 1812, parou com as suas conferências e a participação de grã-finas "cabeças" caiu. Michael não tinha muito charme, mas era um conferencista brilhante e logo começou a atrair um vasto público para as conferências que dava às sextas-feiras. Com isso, arranjou um novo hobby: o ensino. Nada mal para alguém que não pudera estudar muito.

Dava conferências sobre tudo e mais alguma coisa. E, como a força do hábito o tornara um especialista em explosões, explosão é que não faltava nas suas conferências. A Royal Institution continua até hoje dando as suas conferências abertas ao distinto público, inclusive as Conferências de Natal, criadas por Michael em 1827.

Em 1829, Humphry bateu as botas, o que significava que Michael e o sargento Anderson finalmente podiam parar de trabalhar com o chatérrimo "projeto vidro". No ano seguinte, Michael inventou o motor elétrico.

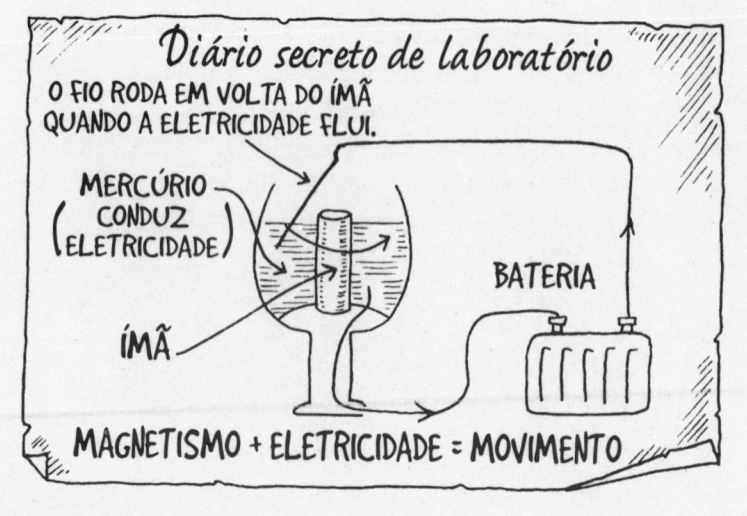

Diário secreto de laboratório

O FIO RODA EM VOLTA DO ÍMÃ QUANDO A ELETRICIDADE FLUI.

MERCÚRIO CONDUZ ELETRICIDADE

ÍMÃ

BATERIA

MAGNETISMO + ELETRICIDADE = MOVIMENTO

O invento poderia tê-lo deixado rico, mas ele não dava bola para dinheiro. Em 1831, inverteu o princípio do motor e inventou o gerador elétrico ou dínamo.

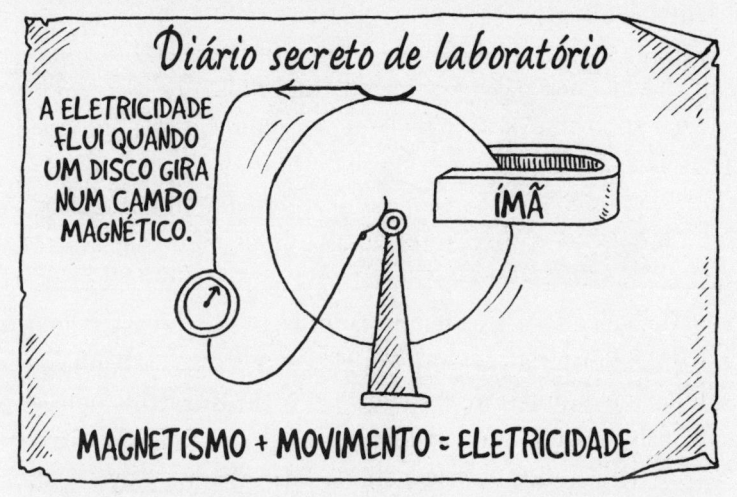

> **Diário secreto de laboratório**
>
> A ELETRICIDADE FLUI QUANDO UM DISCO GIRA NUM CAMPO MAGNÉTICO.
>
> ÍMÃ
>
> MAGNETISMO + MOVIMENTO = ELETRICIDADE

Essa invenção era uma nova mina de dinheiro, mas Michael novamente não a explorou. O que de fato lhe importava era ter conseguido fazer o que vinha tentando havia uma década: produzir eletricidade a partir do magnetismo. Uma terceira oportunidade para enriquecer apareceu logo depois, quando descobriu a eletrogalvanização — um método de revestir objetos com camadas de metal por meio da eletricidade, para protegê-los da ferrugem.

Um mundo mais simples?

Animado com seus sucessos, Michael continuou seu projeto de provar que todas as forças naturais estavam relacionadas, a começar pela eletricidade. Naquela época, muita gente achava que havia vários tipos de eletricidade, mas nos seis anos seguintes Michael provou que na verdade só havia um. Uma parte importante da sua pesquisa era a medição da eletricidade. Naquele tempo, havia uma porção de instrumentos que você podia usar com esse fim. Mas tudo que Michael possuía era o corpo — ele usava os braços, a língua e até os olhos.

Michael adorava as tempestades elétricas, que ele seguia, de táxi, por toda Londres. Podia se dar a esse luxo, porque tinha um montão de trabalhos fora da Royal Institution, inclusive o de perito científico dos tribunais. Se ele não tivesse dado todos os seus ganhos extras para a Royal Institution financiar novas pesquisas, teria ficado rico.

A essa altura, Michael já estava se tornando famoso de morrer. Foi homenageado pela Academia de Ciências de Paris e por quatro instituições acadêmicas de outros países (apesar de não se entender com os estrangeiros). Ele e sua mulher frequentaram muitas festas e conheceram pintores como Turner e escritores como Dickens (apesar de Michael preferir ficar em casa trabalhando). Embora não tivesse filhos, dispunha de uma coleção de sobrinhos e sobrinhas, que ele costumava divertir explodindo coisas de vez em quando.

Pouco a pouco, Michael foi construindo sua teoria de que todas as forças estão relacionadas. Descobriu que, fosse qual fosse a coisa elétrica que ele enfiasse no olho — e por mais que doesse —, a eletricidade propriamente dita era sempre a mesma. Também descobriu que a eletricidade, como o magnetismo, gerava um campo de força.

Michael tinha uma característica em comum com Newton e Einstein (mas não com Aristóteles): quando não conseguia explicar uma coisa direito, preferia calar o bico, em vez de vir com uma teoria capenga que não podia comprovar. Assim, deixou na gaveta a questão do que eram os campos de força. Hoje, graças a Einstein, sabemos que são distorções na estrutura do espaço—tempo. O quê??!! Bom, quando a gente falar do Einstein você vai entender. Espero.

O declínio

Em 1839, Michael estava no melhor dos mundos: era professor de química da Royal Institution desde 1834, um cientista famoso de morrer, tinha uma família grande, ganhava bem, suas conferências lotavam e continuava juntando regularmente provas para a sua ideia de que todas as forças estão relacionadas. Mas naquele ano teve um distúrbio misterioso. Alguns dizem que foi causado por envenenamento de mercúrio. Em todo caso, isso afetou a sua cabeça: ficou meio lelé e não conseguia mais se concentrar. Só pôde voltar a trabalhar em 1844, o que fez sem parar desde então, fosse em seu laboratório, fosse com a família, fosse dando conferências sobre ciência.

A saúde de Michael não era seu único problema. Além da ciência e do casamento, Michael gostava muito de outra coisa: religião. Ele pertencia a uma seita extremista, a dos sandemanianos, que acreditavam na verdade absoluta da Bíblia.

Isso pode parecer estranho. Como todo bom cientista, Michael exigia que qualquer afirmação fosse sustentada por uma boa prova para ser aceita como verdadeira, mas abria uma exceção para todas e cada uma das afirmações da Bíblia. E os sandemanianos queriam tanto ter Michael entre eles que o elegeram bispo da sua Igreja. Conta-se que certo domingo do ano de 1844 foi convidado para jantar com a rainha Vitória. Para alguém tão fanático quanto ele, domingo era um dia especial e, como bispo da sua Igreja, esperava-se que estivesse lá, na igreja. Mas o convite da rainha era por demais tentador, de modo que Michael foi ao jantar — o que fez com que ele perdesse o bispado por dezesseis anos!

Nervosismo científico

Em 1846, um cientista chamado Wheatstone devia dar uma conferência na Royal Institution, mas ficou tão nervoso que no último instante sumiu. Michael leu a conferência do fujão no lugar dele e, achando que sobrava tempo, deu uma breve palestra extra sobre a sua teoria da vibração dos raios, que dizia que os raios eram ondas que viajavam pelo espaço junto com linhas de força. Embora não fosse correta, essa ideia acabou levando à descoberta das ondas de rádio, e daí à transmissão de sons e imagens (rádio, tevê, celulares...). O papelão do Wheatstone levou a Royal Institution a trancar seus conferencistas meia hora antes da conferência, para não correr o risco de que fugissem como ele...

Michael continuou se esforçando para encontrar o princípio unificador da natureza, procurando especialmente relacionar eletromagnetismo e gravitação.

Michael Faraday e suas experiências eletrizantes

> SERÁ QUE, AO CAIR NUM CAMPO GRAVITACIONAL, UM OBJETO PESADO PRODUZIRÁ CAMPOS ELETROMAGNÉTICOS QUE EU POSSA DETECTAR?

> NÃO!

Depois de uma porção de experiências, Michael desistiu. Desde então, muitos cientistas vêm tentando relacionar a eletricidade e a gravitação. Até agora, não conseguiram.

SEGREDOS DA CIÊNCIA

Desde os tempos do Michael, os cientistas tentam utilizar novas formas de matemática, assim como experiências cada vez mais amplas e complexas, para demonstrar que todas as forças estão relacionadas. Hoje em dia, acredita-se que há quatro forças na natureza: a gravidade, o eletromagnetismo, a força forte que mantém os átomos juntos e a força fraca que separa as partículas. Até aqui, os cientistas conseguiram relacionar apenas as forças eletromagnética e fraca, mostrando que, em altas temperaturas, elas têm exatamente o mesmo efeito. A unificação de todas as forças significaria que tudo poderia ser explicado por um só conjunto de equações interligadas.

A doença misteriosa de que Michael sofria desde 1839 foi piorando gradativamente. Sua cabeça falhava, tomada lentamente por uma espécie de nevoeiro em que todas as suas lembranças se apagavam. Ele renunciou a todas as suas responsabilidades, uma a uma, e abandonou todos os seus trabalhos. Sua última Conferência de Natal foi dada em 1860, sua última conferência pública em 1862. Em 1864, renunciou ao bispado dos sandemanianos e, no ano seguinte, saiu da Royal Institution. Em 1866, praticamente a única coisa que podia fazer era ficar sentado numa cadeira o dia inteiro, com o olhar perdido no espaço.

Michael Faraday faleceu em 1867. Ele abriu caminho para uma das maiores descobertas teóricas da história da ciência, que veio a ser chamada de teoria dos campos. Também deu início a uma das principais aplicações práticas da ciência: a indústria elétrica. Nunca mais ninguém acreditará, como Napoleão acreditou, que a ciência não tem nenhuma influência prática no mundo.

MICHAEL FARADAY
ESTA FOI SUA VIDA

Revolucionou:
a química e a física

PRINCIPAIS DESCOBERTAS:
- novos materiais
- leis da eletricidade
- motor e gerador elétrico
- campos de força

INTERESSE NÃO CIENTÍFICO:
religião

Michael também deixou uma porção de amigos. Um deles era Charles Darwin.

CHARLES DARWIN E SEUS MONSTROS MISTERIOSOS

Charles Darwin descobriu alguns monstros que mudaram o mundo e, embora sonhasse com uma vida tranquila, provocou mais debate do que qualquer outro cientista.

Charles nasceu em Shrewsbury, Inglaterra, em 1809. Sua mãe morreu quando ele tinha oito anos, e foi criado por suas irmãs e por seu pai, Robert, que era um sujeito meio assustador. Robert pesava uns 150 quilos e, quando ficava bravo, berrava tão alto que se ouvia na China; mas quando não estava bravo era muito legal. Charles e ele se davam muito bem. Uma vez Robert previu:

Você só pensa em caçadas, em cachorros e em matar ratos. Você vai ser um desastre para você mesmo e toda a sua família!

Charles tinha, de fato, alguma dificuldade de aprendizado...

Os cientistas e seus experimentos de arromba

Boletim Escolar	
Inglês	Médio
Latim	Médio
Matemática	**Médio**
Geografia	Médio
História	*Médio*
Francês	médio
Comentário geral: Charles é um menino tímido e não é um aluno muito cativante. O que mais lhe interessa é catar besouros. E conchas.	

Um dos seus professores chegou a dizer: "Esse garoto é completamente abestalhado!".

Posso não ser médico, mas sou barateiro

Quando fez dezesseis anos, seu pai incentivou-o a tratar das pessoas do vilarejo que não podiam pagar o médico; só depois é que o mandou estudar medicina na Universidade de Edimburgo. (Provavelmente teria sido melhor — e mais saudável — para os pacientes de Charles se a ordem tivesse sido inversa.)

Como Galileu, ele não se interessou muito pela medicina. Achava as aulas sem graça, a matéria uma chatice, sem falar nas operações — feitas sem anestesia na época — que ele tinha que assistir: ele não gostava *mesmo*.

Charles Darwin e seus monstros misteriosos

Praticamente todo mundo na casa de Charles vivia doente, e olha que seu pai era médico e sua irmã adorava usar uma máscara contra resfriado que ela mesma inventara. Dá para entender por que ele já devia estar cheio da medicina. Daí, mais uma vez como Galileu, as aulas a que ele assistia na universidade não tinham nada a ver com a matéria que deveria estudar. Em seu caso, eram aulas de geologia.

Charles não ousou dizer ao pai que detestava medicina, o que foi uma boa ideia. Melhor ainda foi a de pedir às irmãs que contassem em seu lugar. Seu pai fez o maior escândalo, mas disse que, se ele quisesse, podia ser pastor. (Naquela época havia poucas carreiras respeitáveis, como aquelas que envolviam medicina, Igreja, Exército, Marinha, política e direito.) Assim, aos dezenove anos, Charles foi para a Universidade de Cambridge estudar religião. Embora também não tivesse muito interesse pelo assunto, pelo menos acreditava piamente em cada palavra da Bíblia.

Charles divertiu-se um bocado em Cambridge, caçando, atirando e fazendo amigos. Fez dois tipos de amigos: "jovens depravados e pouco inteligentes", com os quais ia beber, cantar e dar tiros; e cientistas tarimbados, com os quais conversava sobre ciência. Um dos seus melhores amigos era um professor de biologia, Henslow, que fez Charles gostar ainda mais de geologia — despachou Charles numa expedição geológica no norte do País de Gales. Enquanto esteve por lá, Charles também catou uns bichos do mar e tentou dissecá-los, mais ou menos como

Os cientistas e seus experimentos de arromba

Aristóteles, no entanto muito mais desastradamente, porque dissecação não era bem o seu forte.

Quando voltou para casa, Charles encontrou uma carta animadora à sua espera. Era de Henslow, contando que precisavam de um naturalista na expedição científica que partiria a bordo do *Beagle*. Apesar de não ter qualificações científicas, de o trabalho não ser pago e de ser um bocado tímido, Charles queria muito ir. Mas desconfiava de que seu pai não ia concordar. E estava certo. Em todo caso, Robert aventou uma possibilidade: "Se você achar um homem sensato que o aconselhe a ir, eu deixo". Por sorte, Charles conhecia o cara certo: um dos amigos prediletos do pai.

Tio Jos era Josiah Wedgwood, cuja fábrica fazia a porcelana que hoje é muito vendida em leilões de antiguidades. Charles foi então falar com ele, e Jos não só o incentivou a ir como o acompanhou de volta para casa, a fim de convencer Robert. E Charles partiu, sem diploma, sem ideia clara sobre o que fazer na vida, só com...

Charles Darwin e seus monstros misteriosos

... a cara e a coragem

No dia 27 de dezembro de 1831, o *Beagle* zarpou levando Charles como consultor científico. Mais ou menos como em *Jornada nas estrelas*, essa era uma longa missão a lugares desconhecidos, com ele fazendo o papel de sr. Spock. Mas:
- Charles não era cientista;
- enjoava à beça no mar;
- não sabia como estabelecer o contato mental dos vulcanos (embora tivesse orelhas ligeiramente pontudas).

Também tinha um nariz batatudo, que fez o capitão Robert Fitzroy ficar na mesma hora com o pé atrás em relação a ele. Fitzroy era fissurado por narizes e possuía, ele próprio, um belo exemplar. O capitão achava que você podia saber uma porção de coisas sobre uma pessoa só pela forma do nariz, e quando viu o de Charles farejou encrenca.

Apesar de tudo, a viagem foi esplêndida para Charles, embora tenha enjoado muito e discutido mais ainda com Fitzroy — principalmente por ter compartilhado com ele a mesma cabine minúscula por cinco longos anos.

Quando chegou às ilhas de Cabo Verde, Charles ficou maravilhado com a enorme variedade de animais e plantas. Começou a coletar tudo como um louco — aranhas, conchas, besouros —, encantou-se até com as carnívoras formigas-legionárias, os morcegos-vampiros, sem falar, claro, nas fantásticas borboletas. A única coisa que não lhe agradou foi ter sido atacado certa noite, enquanto dormia, por um enxame de insetos chupadores de sangue de três centímetros de comprimento.

Os cientistas e seus experimentos de arromba

Charles Darwin e seus monstros misteriosos

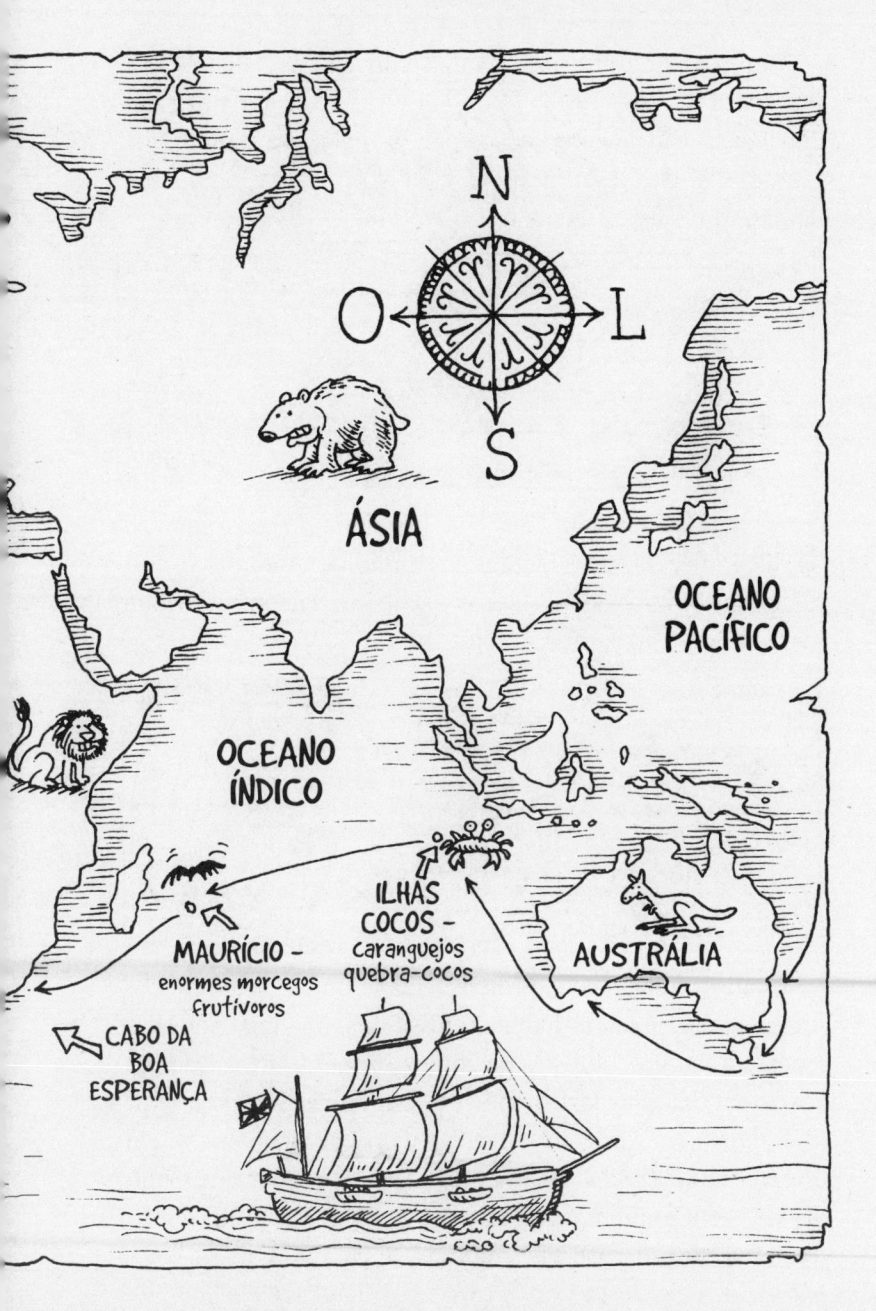

ÁSIA

OCEANO PACÍFICO

OCEANO ÍNDICO

MAURÍCIO – enormes morcegos frutívoros

ILHAS COCOS – caranguejos quebra-cocos

AUSTRÁLIA

CABO DA BOA ESPERANÇA

Os cientistas e seus experimentos de arromba

Como a fotografia acabara de ser inventada, Charles ainda não tinha máquina; assim, em vez de fotografar, empalhava os bichos e mandava-os para a Inglaterra sempre que podia. Daí eles estarem às vezes meio podres quando seu amigo, o professor Henslow, os recebia.

Charles era um cara resistente pra caramba: era capaz de cavalgar dez horas seguidas e caminhar quilômetros no meio da floresta. Numa dessas excursões, encontrou o que chamou de "catacumba de monstros".

Charles também encontrou os remanescentes de um roedor do tamanho de um elefante e o fóssil de um animal parecido com um cavalo. Como seria impossível não vê-los quando vivos, era claro que fazia tempo que estavam extintos. Mas por que teriam se extinguido? Aquilo tudo era fascinante, e em dezembro de 1832 Charles decidiu que "o melhor que tenho a fazer com a minha vida é dedicá-la a contribuir um pouco para o avanço das ciências naturais". E era mesmo.

Charles Darwin e seus monstros misteriosos

Em 1835, o *Beagle* chegou às ilhas Galápagos, que eram cobertas por uma areia negra, cheiravam como algo que tivesse ficado no forno por tempo demais e eram povoadas por tartarugas gigantes que Charles gostava de cavalgar e depois comer. (Bem antiecológico! Mas parece que eram deliciosas.)

Charles descobriu que cada ilha tinha a sua variedade de tartarugas e de passarinhos. A forma do bico dos passarinhos era adaptada ao tipo de alimento que havia em cada ilha: biquinhos delicados, onde havia sementes macias; bicos pontudos, para pegar vermes contorcionistas; fortes bicões, onde o rango eram coquinhos e frutos de casca dura.

Tudo muito prático, tudo muito curioso. Segundo as ideias da época, todas as espécies animais tinham sido criadas por Deus no início dos tempos e durariam para sempre.

Logo, Deus teria de ter projetado animais ligeiramente diferentes para cada ilha...

... o que parecia meio esquisito.

Os cientistas e seus experimentos de arromba

A luta pela sobrevivência

Cinco anos depois, Charles voltava para casa num navio entupido de espécimes e com a cabeça transbordando de suposições. Uma ideia era clara para ele: apesar do que a religião dizia, as espécies se modificavam, sim, senhores, ao longo do tempo. Os fósseis que ele havia encontrado, assim como as criaturas vivas que vira, convenceram-no disso. Eles se adaptaram gradativamente ao seu ambiente, como no caso do bico dos passarinhos. Em outras palavras, *evoluíram*. Mas como? Precisava dar uma boa pensada para poder responder essa pergunta.

A primeira coisa que Charles fez foi alugar alguns quartos em Cambridge e arrumar os exemplares que trouxera. Quem o ajudou a fazê-lo foi Simms Covington, um tocador de rabeca que viajara com ele no *Beagle*, e o professor Richard Owen, que conhecera num jantar da Geological Society. Charles também começou a pôr suas aventuras no papel.

Esses livros e as cartas científicas que mandou para a Inglaterra durante a viagem tornaram Darwin um cientista conhecido e respeitado. Resultado: fez dois novos e importantes amigos no ramo, o geólogo Charles Lyell e o botânico Joseph Hooker. Essas novas amizades seriam muito úteis depois. Já o professor Owen... Espere um pouco, você vai ver.

Charles ficou matutando a sua teoria da evolução, até que um dia, "para se distrair", leu um livro que previa que todo mundo ia morrer de fome loguinho. Era uma teoria muito simples e interessante:

POUCA COMIDA
OFERTA DE ALIMENTOS
POPULAÇÃO
AQUI A POPULAÇÃO COMEÇA A MORRER DE FOME
COMIDA SUFICIENTE
TEMPO

Charles percebeu no mesmo instante que era o que precisava para completar sua teoria.

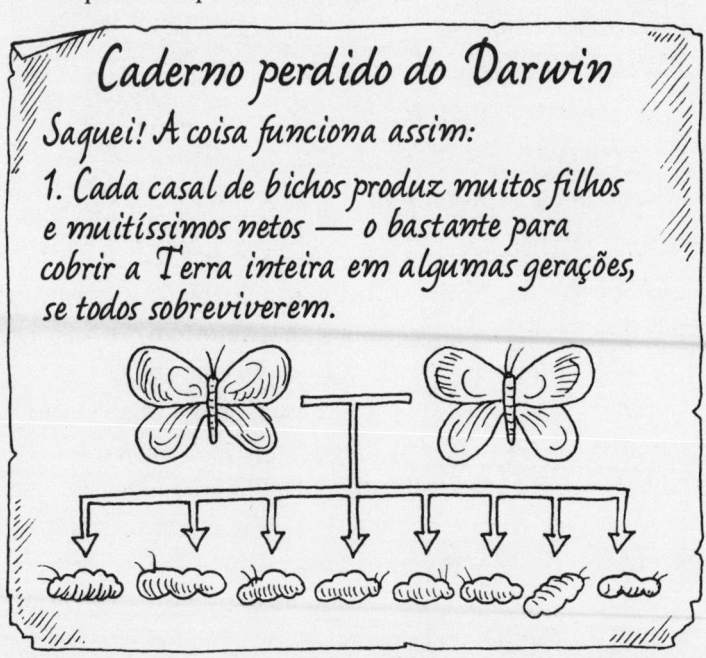

Caderno perdido do Darwin

Saquei! A coisa funciona assim:

1. Cada casal de bichos produz muitos filhos e muitíssimos netos — o bastante para cobrir a Terra inteira em algumas gerações, se todos sobreviverem.

2. A comida disponível só dá para alimentar uma pequena fração dos bichos nascidos.

3. Os bichos competirão um com o outro e os perdedores morrerão de fome.

4. Os bichos vencedores serão os mais adaptados a explorar o lugar em que vivem — talvez por serem caçadores mais inteligentes, combatentes mais fortes ou por serem capazes de escapar dos inimigos escondendo-se, fugindo ou tapeando-os.

Charles chamou esse processo, pelo qual as criaturas mais fortes sobrevivem e as mais fracas morrem, de "seleção natural". Era assim que a evolução funcionava.

Agora, ele tinha a explicação básica para a incrível variedade de seres vivos na Terra, da água-viva à águia e ao carvalho. Cada um era idealmente adequado ao lugar em que vivia e às condições que tinha de enfrentar, e esses comportamentos e corpos vencedores surgiam após muitas gerações de conflito entre criaturas estruturadas de forma diferente. O conflito fazia as criaturas com corpos inferiores morrerem. De repente, todo o mundo natural se explicava, sem precisar que Deus projetasse tudo com sua santa paciência.

> ## SEGREDOS DA CIÊNCIA
>
> Depois de Charles, a ideia da evolução foi aplicada a todo tipo de coisa, até a programas de computador! Pois é, em vez de bolar um programa que execute determinada tarefa, o programador pode simplesmente mandar o computador rodar vários programas ligeiramente diferentes e deixá-los competir para ver quem faz melhor o trabalho.

Uma paixão lógica

Mas Charles não ficava o tempo todo pensando em biologia. Em 1837, achou que estava na hora de casar. Talvez. Como bom cientista, fez uma lista dos prós e contras:

BALANÇO SUCINTO do casamento

PRÓS	CONTRAS
Filhos	Menos tempo para estudar a evolução
Música e conversa fiada	Menos expedições
Companhia na velhice	Mais parentes para visitar

Charles chegou à seguinte conclusão: teoricamente falando, ele precisava arranjar uma mulher e, em 1839, logo depois de ter sido eleito para a Royal Society, casou-se com uma prima, Emma Wedgwood. Um jeito meio esquisito de resolver o problema, mas não é que deu certo? Tiveram um montão de filhos e viveram felizes para sempre.

Os cientistas e seus experimentos de arromba

Charles e Emma se mudaram para uma casa em Londres e tiveram uma vida social intensa. Mas por pouco tempo. No outono de 1839, Charles achou que andava se cansando à toa. Embora só tivesse trinta anos, nunca mais se sentiu 100% desde então. Às vezes estava tão mal que passava dias sem trabalhar. Não se sabe que doença tinha, mas hoje tende-se a pensar que era um problema psicológico.

Em 1842, Charles e Emma mudaram-se para a Down House, em Downe, um subúrbio de Londres. Todos os outros cientistas famosos tinham alguma instituição em que trabalhavam e discutiam o seu trabalho — como o Liceu de Aristóteles, a Royal Society de Newton e a Royal Institution de Faraday. Charles não. Mas ele transformou a casa e seus jardins num centro de pesquisas pessoal. Chegou até a criar uma estufa de plantas carnívoras.

Probleminhas

Naquele mesmo ano, Charles escreveu um resumo da sua teoria da evolução, com 35 páginas, que ampliou para 230 em 1844. Mas limitou-se a mostrá-lo a alguns amigos e não o publicou em livro.

POR QUE NÃO?

Havia umas poucas razões para que Charles não estivesse interessado em publicar:
- era um cara cauteloso por natureza;
- sabia que ia escandalizar as pessoas religiosas, como sua esposa;
- ainda havia umas questões em aberto.

O fato de que a evolução contradizia a Bíblia não fez Charles duvidar da sua validade (da teoria da evolução, não da Bíblia). Aliás, ele achava que não havia nada que mostrasse ser a Bíblia verdadeira. Tem mais: ele achava o cristianismo mais besta que um vulgar besteirol.

> *De fato, não consigo entender como alguém pode pretender que o cristianismo seja verdadeiro. A linguagem insossa do texto parece dizer que quem não acreditar nele, o que inclui meu pai, meu irmão e quase todos os meus melhores amigos, será castigado por toda a eternidade. O que é uma doutrina odiosa.*

Em 1846, Charles parou um pouco de burilar a sua teoria da evolução para trabalhar sobre as cracas. Não é o que você está pensando (não viu o *r*?), mas aquela espécie de marisco que gosta de grudar nas pedras e no casco dos navios. Charles tinha encontrado um tipo estranho de craca que cavava buracos para se esconder e ficou fascinado com ela. Só oito anos depois (Charles era um cara tremendamente minucioso) voltou à teoria da evolução, que continuava sem publicar. Com a mania que teve a vida inteira de colecionar tudo, agora estava colecionando fatos — fatos em apoio à sua teoria da evolução, de modo a fazer com que as pessoas caíssem de quatro se um dia ele publicasse o livro.

Os cientistas e seus experimentos de arromba

Finalmente, em 1856, ele achou que tinha coletado um número suficiente de fatos para convencer qualquer um de que a teoria da evolução estava certa, e começou a escrever um livro enorme sobre ela, que teria umas 750 mil palavras — quase vinte vezes maior do que este livro.

Dois anos depois...

CARTEIRO

NÃO PODE SER!

CAPÍTULO ONZE "POMBOS"

Caro Sr. Darwin,
Creio que as coisas vivas devem evoluir de acordo com a seleção natural. Como o senhor é um cientista famoso de morrer, escrevo-lhe para lhe perguntar se acha que devo publicar essa teoria.
Cordialmente,
Alfred Russel Wallace

E AGORA? COMO VOU PROVAR QUE INVENTEI ESSA TEORIA HÁ ANOS?

HOOKER

LYELL

Wallace topou e eles escreveram, mas ninguém deu muita atenção ao tal artigo.

Charles começou a achar que tinha de publicar logo seu livro. Passou os treze meses seguintes botando no papel sua obra, *Sobre a origem das espécies por meio da seleção natural*. Parecia que não ia ter muitos leitores, por isso o editor imprimiu apenas 1250 exemplares — que se esgotaram no dia do lançamento. Certamente contribuiu para o sucesso o fato de Hooker e Lyell terem dado a maior força, além de o maior zoólogo do país, Thomas Huxley, ter escrito uma resenha entusiasmada sobre o livro.

Mas uma porção de gente não gostou nem um pouco...

Trombando com a Bíblia

Charles tomou o maior cuidado para não dizer nada de específico sobre a evolução do homem, mas não era preciso ser um gênio para entender que, se a teoria da evolução estivesse correta, os seres humanos, como todos os outros seres vivos, descendiam de alguma criatura primitiva. A maior parte das pessoas achava que essa criatura era o ma-

Os cientistas e seus experimentos de arromba

caco, mas Charles e outros cientistas não tinham a mesma opinião — na moita, Charles achava que descendíamos de um bicho marinho, um polvo-caramujo ou algo assim.

Muitos cientistas não concordavam em absoluto com Charles, inclusive o professor Richard Owen, seu ex-colega, que escreveu uns artigos anônimos criticando Charles e falsificando descaradamente o que ele dizia. As pessoas não conseguiam admitir que suas mamães e seus papais não passavam de uns macacos melhorados. Por seu lado, padres e pastores tiveram chiliques. Resumindo, foi o maior auê.

... se os filósofos e os estudantes cismarem de explicar tudo e desacreditar o que não podem provar, para mim é um grande mal...

RAINHA VITÓRIA

Esperemos que não seja verdade, mas, se for, oremos para que poucos fiquem sabendo.

A MULHER DO BISPO DE WORCESTER

Daqui a dez anos ninguém mais vai se lembrar disso.

RICHARD OWEN

Charles não se limitou a liquidar a ideia de que Adão e Eva eram nossos antepassados remotos; além disso, pôs em dúvida a versão que a Igreja dava para a história da Terra, mostrando que ela devia ter milhões de anos, e não 6 mil e alguma coisa, como decorria da Bíblia.

SEGREDOS DA CIÊNCIA

Até Darwin aparecer, as pessoas achavam que a idade da Terra e do resto do Universo era de alguns milhares de anos — um tempo que ainda dava para as pessoas imaginarem. Depois de Darwin, as pessoas se tornaram mais realistas, e logo ficou claro que a Terra era muito mais velha do que se pensava. Hoje é sabido que a Terra tem cerca de quatro bilhões e meio de anos, e o Universo, uns treze bilhões.

A coisa pegou fogo na célebre reunião de 1860, em Oxford. Incentivado por Richard Owen, um bispo mais escorregadio do que sabonete (tanto que tinha o apelido de Sam Sabonete), fez um discurso avacalhando a teoria da evolução e terminou com a pergunta: "Ele pretende descender do macaco por parte de avô ou de avó?". Charles, que vivia doente, não estava presente para se defender, mas seu amigo, o também cientista Thomas Huxley, estava. Primeiro, Huxley explicou a teoria de uma forma convincente. E por fim emendou: "Prefiro ser parente de um macaco a ser parente de um bispo". Foi uma tirada tão forte que uma senhora até desmaiou.

Daquele dia em diante, o próprio Huxley passou a se chamar de buldogue do Darwin, tendo como missão defender a teoria da evolução. Nada mais conveniente para Charles, que não queria saber de debates: tudo o que queria é que o deixassem em paz com sua família, suas pesquisas e seus escritos. Escreveu um monte de livros, a maioria uns baitas calhamaços repletos de teorias científicas e de interessantíssimas observações que ele reunia com carinho.

UM LANÇAMENTO IMPERDÍVEL
A DESCENDÊNCIA DO HOMEM

Por que os pavões são tão chiques? Por que nossas orelhas são assim? E de quem — ou de que — a gente descende? Todas essas perguntas e muitas outras são respondidas em *A descendência do homem*, o último livro de Charles Darwin, que continua a partir de onde seu best-seller *A origem das espécies* parou.

ALGUNS COMENTÁRIOS

"Outro maravilhoso livro de um grande cientista."
Thomas Huxley

"Este livro é outra tremenda [...] boa [...] leitura."
Arcebispo da Cantuária

"Eu mesmo não teria escrito melhor."
Alfred Russel Wallace

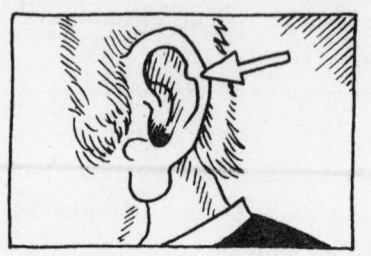

A descendência do homem explicava que o homem descendia de um ancestral não humano e que aquelas coisinhas pontudas que a gente tem na orelha eram vestígios de uma orelha pontiaguda. E acrescentava mais um elemento à teoria da evolução, ao explicar que os animais precisam se acasalar, tanto quanto necessitam comer, e que é por isso que algumas das suas características evoluem, para torná-los mais atraentes — apesar de essas características também atrapalharem um bocado na hora de ir caçar o almoço.

Uma experiência chocante

Charles era muito amigo de Michael Faraday, cujo gerador elétrico utilizava para dar choque nas pessoas, só para ver com que cara ficavam. Em prol da ciência, claro. Falando sério: isso fazia parte das pesquisas para seu livro *A expressão das emoções no homem e nos animais*. Seu cachorro, Bob, ajudou muito. Charles desenhou Bob quando ele estava com fome, com raiva, feliz etcétera.

Charles descobriu muito mais coisas também — por exemplo: como as plantas se movem e o tamanho do menor pedacinho de carne que uma planta carnívora é capaz de detectar (um milionésimo de grama).

Minhocas de estimação

O último livro do Charles foi todo dedicado às minhocas. Ele adorava minhocas! Costumava dar de presente a elas lindas pedronas para se esconderem embaixo. Saía de noite para ver o que as minhocas fazem a essas horas, punha minhocas no piano e tocava violoncelo para elas, chegou até a ir a Stonehenge (o célebre monumento pré-histórico que fica na Inglaterra e é feito de enormes blocos de pedra), só para ver o que elas fizeram nos últimos 4 mil anos.

DESDE QUE ELE NÃO QUEIRA ME LEVAR PARA PESCAR...

Calculou que a população de minhocas de onde morava produzia umas 45 toneladas de terra por hectare a cada ano. O estudo que ele fez das minhocas comprovou o ponto geral da evolução, de que pequenas modificações podem causar efeitos gigantescos, com o correr do tempo (muito tempo).

Numa coisa Charles era igual a Newton e Galileu: usava a matemática para verificar suas teorias. Quando as pessoas disseram que as minhocas eram inferiores demais para fazer todas as coisas interessantes que Charles afirmava, ele fez uns cálculos para provar que não eram, não. Infelizmente, como Faraday, ele era meio ruim em matemática e cometeu alguns erros básicos nos livros que tanto tempo dedicara para escrever, mas, também como Faraday, tinha plena consciência da importância, em ciência, de testar as teorias e fazer previsões.

Charles viveu feliz na Down House, com a família, Bob e suas minhocas, por muitos anos mais, até que em 1882, famosérrimo de morrer, faleceu de um ataque cardíaco. Era tão famoso que foi enterrado ao lado de Isaac Newton na abadia de Westminster. Charles havia mudado a maneira como as pessoas consideravam o Universo, tanto quanto Isaac o fizera. De Charles em diante, ficou claro que o mundo natural não era um mundo imutável, criado de repente e de uma vez por todas alguns milhares de anos atrás, mas um mundo em constante — embora lenta — modificação ao longo do tempo.

CHARLES DARWIN
ESTA FOI SUA VIDA

Revolucionou:
a biologia

PRINCIPAL DESCOBERTA:
• a teoria da evolução pela seleção natural

INTERESSE NÃO CIENTÍFICO:
ler romances (mas só os que acabam bem)

Havia, no entanto, uma grande lacuna na teoria da evolução, como Charles sabia muito bem. Na *Origem das espécies*, ele afirma: "Ninguém pode dizer por que a mesma peculiaridade em indivíduos diferentes (...) às vezes é herdada, às vezes não; por que o filho muitas vezes repete certas características do avô...".

NINGUÉM, SALVO EU!

GREGOR MENDEL E SUAS ERVILHAS COM ÁRVORE GENEALÓGICA

Há uma grande diferença entre Gregor Mendel e o resto dos cientistas deste livro: ele só ficou famoso de morrer depois de morto. Mas, como biólogo, é tão importante quanto Charles Darwin. Embora nunca tenham se conhecido e muito provavelmente Charles nunca tenha lido os poucos artigos científicos que Mendel lhe mandou, os dois desvendaram os segredos da vida e deram início à biologia moderna.

Gregor nasceu em 1822 na Silésia, no que hoje é a República Checa. Embora sua família fosse um pouco melhor de vida que a de Michael Faraday, não eram ricos, longe disso. O pai do Gregor era um fruticultor meio deprimido, que ficou ainda mais deprê quando não houve mais dúvida de que Gregor (ou Johann, como era chamado então: mas vamos chamá-lo de Gregor desde já) não tinha o menor interesse em tocar a fazendola da família. Por sorte, a sra. Mendel era uma mulher alegre, pra cima, mas mesmo assim Gregor não era uma criança feliz. Quando as coisas ficavam feias, ele caía doente — às vezes não saía da cama meses a fio. Como Charles, é provável que suas doenças fossem de fundo psicológico.

Gregor Mendel e suas ervilhas com árvore genealógica

Os pais de Gregor estavam decididos a fazer os maiores sacrifícios para que ele tivesse uma boa educação, mas faltavam-lhes recursos para mandá-lo para a escola. E, como a Silésia era uma região muito católica, suas escolas não eram nem um pouco abertas ao debate científico. Ou seja, Gregor, que para completar era supertímido, tinha uma situação nada favorável para se tornar um cientista famoso de morrer.

Por sorte, ele teve um grande professor, chamado Schreiber. Como muita gente na Silésia, Schreiber estava no ramo da fruticultura — cultivava maçãs. Chegou a fundar uma associação de produtores de maçã e teve êxito no que o pai de Gregor fracassara: interessou-o pelas plantas. Até ensinou a Gregor como reproduzi-las, o que lhe seria utilíssimo mais tarde.

Na capital

Schreiber conseguiu que Gregor fosse estudar numa boa escola secundária em Opava, capital da Silésia. Mas, como Opava ficava a 36 quilômetros dali, Gregor teve de se mudar para lá. Seus pais só tinham dinheiro para lhe pagar meia pensão, de modo que Gregor, com apenas doze anos, teve de dar aulas a outras crianças para pagar a outra metade.

O deprimido sr. Mendel ficou ainda mais deprimido com a mudança, porque agora Gregor não ia mais poder ajudá-lo na fazenda. E as coisas só pioraram quando, em 1838, ele se acidentou. Gregor voltou para dar uma mãozinha...

Gregor ficou vários meses acamado, mas, apesar dessa interrupção, saiu-se bem na escola e descobriu que levava jeito para ensinar. Resolveu ser professor.

Seis anos depois, estava preparado para ingressar no Instituto Filosófico, a setenta quilômetros de Opava. Era lá que tinha de estudar para ser um professor qualificado. O problema era que não conseguia arranjar outro trabalho de tutor (= aluno que ensina outros alunos) para pagar o instituto, de modo que teve de voltar para casa. E de novo passou a maior parte do tempo na cama.

> ISSO JÁ ESTÁ FICANDO CHATO.

No ano seguinte, 1841, Gregor conseguiu finalmente arranjar um trabalho de tutor e se matriculou no instituto. Mas tinha outro problema: a língua local era checo, em vez de alemão, como em Opava, e ele não falava checo direito. Também não tinha amigos; dinheiro, menos ainda. E quando parecia que estava num beco sem saída...

As coisas pioraram ainda mais. Gregor ficou doente de novo e voltou para casa, onde ficou um ano de cama.

O hábito (de dar tudo errado) faz o monge

Quem tirou Gregor desse poço sem fundo foi sua irmã mais moça, que, generosa, ofereceu-lhe um dinheiro que conseguiu com a família do marido. Com essa grana ele poderia continuar no Instituto Filosófico, especializando-se em matemática e física, e aprofundando-se cada vez mais nas ciências. Na verdade, o que ele queria mesmo era ser cientista; então, resolveu ir para a universidade.

Tudo se arranjava, portanto. Quer dizer, teria se arranjado, *se* ele tivesse dinheiro. Mas não tinha. Logo, não podia ir para a universidade.

Só havia uma coisa a fazer:

> VOU TER DE SER MONGE.

Se você achou essa conclusão meio esquisita, ainda mais para quem pretendia ser cientista, saiba que na época os mosteiros eram quase como universidades, com a diferença de que tinham rezas com hora marcada. O professor de física de Gregor recomendou-o elogiosamente. Quer dizer, *quase* elogiosamente: ele escreveu que Gregor era "quase o melhor" dos seus alunos. Mas foi o bastante para o abade Napp, diretor do mosteiro de São Tomás, perto de Brünn (hoje, Brno). Foi assim que, em 1843, aos 21 anos, Gregor entrou para o mosteiro, o que teve as seguintes consequências:

- recebeu o nome de Gregor (o de batismo era Johann, lembra?);
- deu finalmente o primeiro passo para se tornar famoso;
- seu pai enterrou de vez a esperança de ele ser fazendeiro.

São Mendel

Em 1848, Gregor "recebeu as ordens sacras", ou seja, virou monge. O que incluía uma obrigação que ele detestava: visitar doentes, moribundos, miseráveis e todo tipo de gente na pior. Ele cumpria a obrigação como um santo, mas achava aquilo tão deprê que... adivinhe! Se respondeu: "Caiu de cama um mês", acertou na mosca.

O abade Napp salvou-o, nomeando-o professor substituto de matemática e letras clássicas (= grego e latim). Gregor ainda desejava ser professor e cientista, mas para isso tinha de fazer um exame, em que passaria mole, mole. O problema é que entrou em pânico e... adivinhe! Não, não caiu de cama: levou bomba!

Mas, ou porque sacou que Gregor era um gênio, ou porque ficou com pena dele, em todo caso um dos examinadores convenceu o abade Napp a mandá-lo estudar ciências na Universidade de Viena — e bancar seus estudos! Já estava na hora de Gregor ter sorte, não acha? Assim, em 1852, aos 29 anos, ele finalmente iniciou seus estudos universitários. Como disse o abade: "De qualquer modo, Gregor seria um péssimo pároco".

Vida de estudante

Apesar de ter de dar duro sete dias por semana, Gregor se divertia muito na universidade, estudando física e botânica. Como era tímido, mais velho que os colegas e, ainda por cima, monge, sua vida de estudante era meio diferente.

Mas ele descobriu um modo de se distrair: Gregor comprava bilhetes de loteria. Como adorava matemática, tudo

Gregor Mendel e suas ervilhas com árvore genealógica

que tinha a ver com números o fascinava. E sempre havia a possibilidade de ficar milionário...

Talvez tenha sido em Viena que Gregor decidiu seguir os passos de Galileu e Newton e reduzir o Universo a leis matemáticas. Em todo caso, estudou muito e, quando voltou ao mosteiro, em 1853, tinha toda a formação necessária para fazer algo interessante. E Napp já tinha um projeto prontinho para ele.

O abade Napp era fascinado pela questão "O que é herdado e como?" e estava convencido de que o único caminho para respondê-la era o da ciência experimental. Gregor ficou até as orelhas de tanto trabalho: além de muita pesquisa e de muita leitura, dava 27 horas de aulas por semana, rezava pelo menos duas vezes por dia e comia como um ogro, de manhã, no almoço e no jantar.

Se você leu este livro até aqui com atenção, talvez ache esse último parágrafo meio estranho. Afinal, se a Igreja católica era contra a ciência, como é que um abade podia acreditar nela? É que os mosteiros, naqueles tempos, eram muito poderosos e nem sempre faziam o que a Igreja mandava. Assim, apesar de o bispo de Brünn não suportar as desobediências, o abade Napp geralmente não dava bola para os seus constantes protestos.

Um dos alvos das reclamações do bispo era Gregor. Em parte porque ele tendia a ser meio sarcástico, em parte porque estava fazendo experiências com camundongos. Não era nada que causasse sofrimento aos bichinhos, mas o bispo achava que elas eram demais para um jovem monge. Foi então que Gregor começou a trabalhar com cruzamentos de ervilhas.

Iniciou esse trabalho provavelmente em 1854. Estava finalmente fazendo o que sempre quis: ciência!

Os cientistas e seus experimentos de arromba

Ervilhas da sorte

Como Gregor não nos deixou muitas informações sobre si mesmo (um diário, coisas assim), não sabemos a resposta para esta pergunta: por que resolveu trabalhar com ervilhas? Foi ideia sua ou do Napp? Se a escolha foi casual, Gregor deu a maior sorte, porque as ervilhas se mostraram a planta ideal para torná-lo famoso de morrer.

Não só não se sabe quando Gregor começou a trabalhar com ervilhas, nem se foi dele a ideia, mas tampouco o que tinha exatamente em vista com esse trabalho, apesar de ter escrito alguns textos científicos sobre o assunto. É possível que pretendesse simplesmente produzir ervilhas melhores. Quem sabe, testava uma teoria sobre a hereditariedade que havia bolado. Vai ver almejava decifrar os mistérios da evolução. Pode ser também que, simplesmente, estivesse fazendo o que o senhor abade mandara. Seja como for, antes de prosseguirmos, está na hora de conhecermos as ervilhas.

O modo como as ervilhas e outros seres vivos transmitem suas características para seus descendentes era entendido de forma totalmente errada por Charles Darwin e pela maioria dos outros cientistas da época. Eles achavam que os filhos sempre herdavam uma mistura das características dos pais: por exemplo, cruzar flores brancas com flores vermelhas produziria flores cor-de-rosa. É a chamada "herança mista", que constituía um grande problema para a teoria da evolução do Charles. Pelo seguinte...

Gregor Mendel e suas ervilhas com árvore genealógica

O rabo do Paulinho

Digamos que um belo dia nasceu um coelho chamado Paulinho, que tinha um rabo incrível. Além de ser enorme, seu rabo era capaz de abrir lata, folhear livro, podar árvore, desentupir pia e mil outras coisas.

Segundo Charles, Paulinho espantaria as raposas com seu megarrabo, comeria os melhores vegetais botando os outros coelhos pra correr, se casaria com a Camila, a coelhinha mais bonita do verde prado, e teria vários filhos: Lia, Raul, Pedro e Paula.

Ainda segundo Charles, todos os coelhinhos teriam rabos meio parecidos com o do Paulinho, meio parecidos com o da Camila. Bonitos rabos, mas sem nada de *extraordinário*. Quando os filhos deles tivessem filhos, por sua vez, os rabos seriam ainda menos extraordinários, até que, algumas gerações depois, do rabo do Paulinho só restariam histórias para fazer coelhinho dormir.

Mas na realidade não é bem assim que acontece, pelo menos na maioria dos casos. Haveria uma boa chance para que Pedro e Paula tivessem rabos iguais ao do pai, e Lia e Raul, iguais ao da mãe.

Nesse caso, enquanto Pedro e Paula provavelmente seriam comidos pelas raposas, Lia e Raul sobreviveriam e dariam ao Paulinho e à Camila netos, vários dos quais provavelmente com rabos extraordinários. Os que tivessem um rabo fora de série procriariam, os outros não sobreviveriam a tempo. Até que, um dia, todos os coelhos teriam um rabo como o do Paulinho e seriam, portanto, coelhos de sucesso.

Propriedades aos pares

Gregor teve muita sorte (ou uma tremenda intuição) ao escolher as ervilhas para estudar, porque só há dois tamanhos de pé de ervilha: um tem cerca de dois metros, e o outro, uns quarenta centímetros. Cruzando dois pés, um grande e um pequeno, digamos que produziriam quatro novos pés. Que altura você acha que eles teriam:

a) todos 2 m? b) todos 40 cm? c) todos 1,20 m?

d) uns 40 cm e outros 2 m?

A resposta correta é d). Estranho, não é? Mas Gregor sabia como esclarecer o mistério.

Gregor Mendel e suas ervilhas com árvore genealógica

COMO CULTIVAR ERVILHAS NUM MOSTEIRO

1. PEGUE UM MONTÃO DE PÉS.

OI! — OLÁ, IRMÃO MENDEL!
BOM DIA!

2. ARRANQUE AS MAIS ALTAS.

MANHÊ! SOCORRO! NÃO, NÃO!

3. DESCARTE OS BROTOS ALTOS E CRUZE OS BAIXOS ENTRE SI. CRUZE OS BROTOS MENORES DESTES E ASSIM POR DIANTE, ATÉ TODOS OS PÉS SEREM PEQUENOS. ISSO SIGNIFICA QUE OS PÉS PEQUENOS AGORA SÃO PUROS. E OS ALTOS? MORRERAM TODOS!

É O FIM DA LINHA, QUERIDO! — DUAS E MEIA, BENHÊ!

4. AO MESMO TEMPO, OBTENHA DO MESMO MODO ERVILHAS ALTAS PURAS.

AS ALTAS ESTÃO POR CIMA!
QUE BAIXARIA!

Os cientistas e seus experimentos de arromba

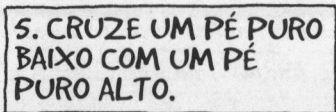

Gregor Mendel e suas ervilhas com árvore genealógica

Ao fim de vários anos fazendo isso, Gregor descobriu que

> EM MÉDIA, DE CADA 4 BEBÊS-ERVILHAS, 3 SÃO ALTOS E 1 É BAIXO.

> MENU
> Sopa de ervilha c/ presunto
> Pato com ervilha
> Geleia de limão
> Vinho francês
> Petit-Pois

Gregor não pesquisou apenas a altura, mas outras seis características, e todas as vezes obteve o mesmo resultado.

A explicação — que Gregor não chegou a conhecer — é a seguinte: cada ervilha contém um par de estruturas chamadas alelos. Cada alelo pode ser "baixo" ou "alto". Se a ervilha tiver um par de alelos "baixos", ela será baixa. Se tiver um par de alelos "altos", será alta. Se tiver um alelo "alto" e um "baixo", ela será alta, porque o alelo "alto" é mais forte que o "baixo" (diz-se que ele é dominante).

Quando dois pés são cruzados, dando um novo pé de ervilha, esse pé herdará um par de alelos "de altura". Receberá, de forma totalmente aleatória, um alelo de cada um dos pais.

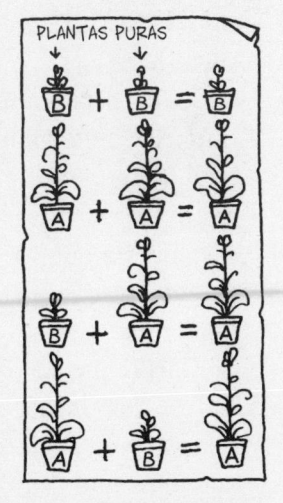

Esses novos fatos — alelos aos pares, com um par dominante; filhos recebendo aleatoriamente um alelo de cada genitor — formaram a base de toda uma nova ciência: a genética.

> ## SEGREDOS DA CIÊNCIA
> A genética mendeliana explica o que é herdado e por quê. Ela pode ser usada para obter safras melhores, animais mais saudáveis e esclarece por que sua tia Memeia tem um narigão daquele tamanho.

Charles e Gregor

O resultado a que Gregor chegou era de fato simplíssimo: as características são herdadas de acordo com uma simples razão numérica. Hoje pode parecer estranho que ele tenha sido o primeiro a descobrir isso: afinal, ao longo de milênios, os agricultores sempre obtiveram plantas híbridas cruzando diferentes variedades. E como é que Charles Darwin não chegou a esse resultado depois de tantos anos coletando fatos? Bem...

- A lei da hereditariedade só se revela observando-se um número muito grande de plantas: nem todo quarto pé de ervilha será baixinho.
- Essas experiências levam um tempão — muitas gerações da criatura que você estiver pesquisando.
- Algumas características herdadas, como a cor da pele nos humanos, se misturam, sim, tal como Charles pensava.
- É dificílimo controlar qual planta cruzou com qual.
- Não é fácil saber com certeza quando se obtém uma planta pura: uma geração inteira de ervilhas pode ser alta por puro acaso, e não porque seus pais são puros.
- Algumas características são invisíveis, até no microscópio.

Há uma porção de outros problemas. Algumas características são formadas por mais de um fator herdado, algumas características sempre são transmitidas juntas e há umas coisas esquisitas chamadas "vigor híbrido" e "debilidade por procriação consanguínea".

No caso do vigor híbrido, um cruzamento entre uma planta alta e uma planta baixa, em vez de produzir uma planta média, como Charles pensaria, ou uma alta e uma baixa, como a teoria do Gregor implicaria, produz uma planta superalta. No caso da debilidade por procriação consanguínea, dois pais de parentesco próximo produzem um filho fraco (é por isso, por exemplo, que irmãos e irmãs não podem se casar).

Gregor não podia explicar essas coisas, mas a genética, a ciência que ele fundou, explicaria mais à frente. Em compensação, ele podia explicar perfeitamente vários fatos — por exemplo, por que um casal de olhos castanhos sempre terá filhos de olhos castanhos, enquanto outros às vezes têm filhos de olhos azuis. E por que um casal de olhos azuis sempre terá filhos de olhos azuis.

Charles Darwin tinha fascínio pela diversidade e pela complexidade da natureza, por isso se interessava sobretudo pelas leis gerais a que ela obedecia. Já Gregor se contentava em concentrar toda a sua atenção numa só experiência. Matemática nunca foi o forte de Charles, de modo que ele não procurava por leis matemáticas — e provavelmente não acharia, se procurasse. Gregor teve êxito onde Charles fracassou, porque era craque em matemática e abordava o problema como Newton fazia — procurando a simplicidade existente sob a massa dos detalhes complexos.

Gregor deixou as ervilhas de lado em 1856, para tentar mais uma vez obter o diploma de professor, mas... bom, deixa pra lá. Basta dizer que ficou um tempão de cama. Era uma pena, porque Gregor gostava de ensinar ciências, só que seu método de ensino era muito peculiar. Ele abria um livro ao acaso, via o número da página, fazia um cálculo — por exemplo, multiplicava por dois — e chamava o aluno que tinha esse número. E, se os alunos faziam bagunça, atirava ervilha neles!

Em 1862, Gregor fez uma rápida viagem a Londres para ver uma exposição de tecnologia, de resto ficou no mosteiro a maior parte do tempo, cultivando ervilhas, contando-as e dando aulas.

Bom demais para ser verdade?

Os resultados obtidos por Gregor eram bons. Bons mesmo. Na verdade, pareciam bons demais para serem verdadeiros. Se você fizesse o que Gregor fez e contasse quantos em 4 mil pés de ervilha são baixos, você esperaria achar uns mil. Mas ficaria surpreso se achasse *exatamente* mil, não ficaria? Pois os resultados do Gregor eram praticamente redondos, tão redondos que pareciam suspeitos. Alguém calculou que a probabilidade de obter resultados como os que ele apresentou era de 10 mil para um. O que acontecia então? Será que nosso santo monge trapaceava? Pode ser. Pode ser também culpa dos outros monges, seus auxiliares. Não se sabe.

Em 1865, Gregor tinha reproduzido e contado uma quantidade suficiente de ervilhas. Era hora de divulgar seus resultados. Então, numa noite em que nevava horrores, ele se dirigiu à escola onde ensinava e deu a primeira de duas conferências para a Sociedade de Estudos de Ciências Naturais de Brünn. Havia umas quarenta pessoas na sala, inclusive alguns botânicos traquejados. Ele reservou um bom tempo para as perguntas no fim da conferência, mas...

Um mês depois, deu nova conferência. Desta vez...

Gregor deve ter ficado ligeiramente desapontado. Todos aqueles anos de trabalho tinham levado a uma visão consistente de como a hereditariedade funcionava, uma visão capaz de explicar por que as plantas, os animais e as pessoas são como são — e agora que ela tinha vindo a público ninguém a entendia, ninguém lhe dava bola, ninguém sequer tinha interesse em ouvir como funcionava.

Mas Gregor não desistiu. Ao contrário, decidiu que era hora de largar as ervilhas para investigar se a lei que ele havia descoberto era geral, isto é, aplicável aos outros seres vivos. Passou então a pesquisar vários outros tipos de plantas e também de abelhas, mas só uma pesquisa — sobre feijões — chegou ao ponto de poder ser publicada. Havia vários motivos para isso. Um deles é o tempo enorme que o cruzamento de plantas exigia; outro é que ele passava a maior parte do tempo estudando a coisa errada. Mais um triste capítulo da vida de Gregor estava para começar.

Os cientistas e seus experimentos de arromba

Logo o *Hieracium*...

Para começar, Gregor publicou suas conferências sobre as ervilhas na revista da Sociedade de Brünn. Pediu quarenta exemplares da revista e mandou pelo menos doze deles para cientistas do mundo todo, inclusive Charles Darwin. Depois esperou para ver o que os outros cientistas diriam da sua descoberta. O que você acha: gostaram ou detestaram? Ignoraram.

Gregor recebeu uma única carta em resposta, de um botânico famoso chamado Karl von Nägeli. Karl não ficou muito impressionado, porque não entendeu a essência do texto. Mas pelo menos, para Gregor, a carta de Nägeli representava um contato com outro cientista. Já era alguma coisa. Para todos os cientistas (menos Isaac Newton), ter sucesso significa que suas descobertas são entendidas e aceitas por outros cientistas, daí a importância da carta.

Gregor escreveu-lhe de volta uma simpática carta, explicando sua teoria mais detalhadamente, mas Nägeli não deu retorno desta vez. Também não respondeu à carta seguinte de Gregor. Somente três cartas depois, quando Gregor perguntou humildemente a Nägeli se ele tinha alguma sugestão para novas pesquisas, é que Nägeli escreveu de volta, sugerindo a espécie que Gregor deveria pesquisar: um matinho florido de nome científico *Hieracium*.

Gregor podia ter estudado quase todos os tipos de plantas ou animais para confirmar sua teoria (bom, poderia ser meio arriscado com certos animais).

Gregor Mendel e suas ervilhas com árvore genealógica

Quer dizer, qualquer espécie que se reproduzisse normalmente. O que não era o caso do *Hieracium*.

Abade Mendel

Gregor podia ter deixado o *Hieracium* pra lá e continuado suas pesquisas com outras plantas ou animais, mas em 1868 o abade Napp morreu. Gregor foi eleito abade em seu lugar, o que implicava uma série de novas responsabilidades nos dezesseis anos seguintes:

> **Gregor Mendel**
> Abade, Mosteiro de São Tomás
> Diretor do Banco Hipotecário da Morávia
> Membro da Ordem Real e
> Imperial de Francisco José
> Curador do Instituto Morávio de Surdos e Mudos

Gregor agora passava a maior parte do seu pouco tempo livre discutindo com as autoridades sobre os altos impostos que o mosteiro tinha de pagar. Devia empregar o resto desse tempo comendo, pelo que se deduz desta sua declaração:

> *Não estou mais em condição de realizar expedições botânicas, visto que o Céu me abençoou com um excesso de peso que torna as longas caminhadas, especialmente subindo montanhas, muito difíceis para mim, num mundo em que prevalece a gravitação universal.*

Os últimos anos de Gregor não foram nada maus, apesar da falta de ciência. Em recompensa ao auxílio financeiro que sua irmã lhe dera para se instruir, cuidou dos seus três filhos, com quem manteve uma forte amizade pelo resto da vida — sempre passeava e jogava xadrez com eles. Gregor também colecionava histórias engraçadas e adorava pregar peças.

    Tinha certeza de que a importância do seu trabalho acabaria sendo reconhecida: "Meu dia há de chegar", costumava dizer. E chegou mesmo. Em 1900, seus escritos, por tanto tempo esquecidos, foram descobertos por três biólogos. Eles reconheceram sua formidável descoberta e apressaram-se em revelar ao mundo o seu trabalho. Assim, quando o século XX começava, Gregor finalmente tornou-se FAMOSO DE MORRER. Infelizmente, fazia dezesseis anos que havia morrido...

GREGOR MENDEL
ESTA FOI SUA VIDA

Revolucionou:
a biologia

PRINCIPAL DESCOBERTA:
- a genética

INTERESSE NÃO CIENTÍFICO:
comer

    Uma coisa que impediu Gregor de se tornar famoso de morrer antes de morrer foi o fato de ser um péssimo marqueteiro de si mesmo. O que não se pode dizer de Louis Pasteur...

LOUIS PASTEUR E SEU MUNDO DE GERMES

Louis Pasteur foi um dos maiores cientistas da sua época, e de todas as outras também. Também foi um dos mais desagradáveis. Pasteur nasceu na França em 1822, apenas alguns meses depois do Gregor.

Naquela época a vida era boa para quem fosse saudável e rico, mas para quem era pobre ou doente eram tempos sinistros. Um montão de gente vivia em cortiços iguais ou piores que as nossas favelas e morria jovem, especialmente quando uma epidemia — como gripe, varíola, cólera, febre militar... — assolava o país, o que volta e meia acontecia.

GRIPE — FEBRE, DORES, EXAUSTÃO
VARÍOLA — NÁUSEAS, CÃIBRAS, BEXIGAS
CÓLERA — FORTE DIARREIA, CÃIBRAS
FEBRE MILITAR

Se você ficava muito doente, ia para o hospital, onde tinha enorme probabilidade de morrer em poucas semanas, infectado pelos médicos ou por outros pacientes. O proble-

Louis Pasteur e seu mundo de germes

ma era que ninguém sabia que as doenças eram propagadas por germes. Muita gente achava que adoecia por castigo divino, enquanto as pessoas mais científicas achavam que as doenças eram espalhadas pelo mau cheiro. Científicas pra caramba, hein?

Ninguém sabia o que causava as doenças, mas os médicos proclamavam solenemente que eram capazes de curá-las. O tratamento da raiva, por exemplo, consistia em cauterizar com ferro em brasa, que nem boi, fazer sangria, manter as feridas abertas e tacar sal e vinagre nelas. Dizem que Louis presenciou esse tratamento quando criança, logo não é de espantar que passasse a detestar os médicos pelo resto da vida, ainda mais quando descobriu quão errados eles estavam.

Filho de um modesto curtidor de couro, na infância Louis não mostrou muito interesse pela ciência; gostava mesmo era de desenhar, e desenhava muito bem. As pessoas que ele desenhou e pintou tinham o ar um bocado soturno: nenhuma está nem sequer esboçando um sorriso nos retratos que chegaram até nós. Aliás, se a alegria já então parecia totalmente estranha a Louis, quando ele cresceu ficou mais sério ainda.

Em 1842, ele fez o exame para entrar na melhor escola da França: a École Normale Supérieure, em Paris. Passou em 15º lugar entre 22 aprovados. Você acha que ele vibrou e foi correndo estudar em Paris, não é? Acertou pela metade: foi estudar em Paris, sim, mas não na Normale Supérieure, porque achou que ter sido 15º era um péssimo resultado. Matriculou-se, portanto, no curso preparatório para refazer o exame. No ano seguinte tirou 4º lugar. Continuou achando péssimo mas, embora a contragosto, desta vez entrou para a célebre escola.

Nos anos seguintes, estudou como um louco e em 1847 diplomou-se doutor em ciências. Em 1848 inventou uma nova ciência.

Um Universo cristalino

Louis adorava cristais, vai ver por serem tão chiques. Na época, havia certo mistério sobre um par de substâncias cristalinas chamadas ácido tartárico e ácido racêmico. Quimicamente, eram idênticos: tinham as mesmas propriedades e a mesma quantidade das mesmas coisas. Porém algo estranho acontecia quando eram dissolvidos na água. Se você fazia um feixe de luz atravessar uma solução de ácido tartárico, o feixe desviava no sentido horário. Mas o ácido racêmico não afetava a direção da luz.

Louis resolveu pesquisar o ácido racêmico, que se portava como um cavalheiro com a luz, em vez de estudar por que o ácido tartárico dava um chega pra lá nela. Naquela época — e hoje também, até certo ponto — a análise química era toda feita com engenhocas, testes químicos e uma montanha de cálculos. Não foi o que Louis fez: ele preferiu usar lentes de aumento (e bota aumento nisso). Examinou atentamente com elas sua coleção de cristaizinhos e, após certo tempo, percebeu uma coisa curiosa.

ALGUNS CRISTAIS SÃO ASSIM:	E OUTROS SÃO ASSIM:
CRISTAL À DIREITA	CRISTAL À ESQUERDA

Todo animado, Louis pegou uma pinça minúscula e separou os cristais de acordo com esses dois tipos. Depois dissolveu cada grupo em água e passou um feixe de luz pela solução. Sabe o que aconteceu? Num caso a luz desviava para a direita, indicando a presença de ácido tartárico; no outro, desviava para a esquerda! Ele não só havia obtido ácido tartárico a partir do ácido racêmico, mas inventado uma nova substância, ligado a química à luz e dado o pontapé inicial para o aparecimento de uma nova ciência, a estereoquímica, que estuda a forma tridimensional das moléculas.

Dizem que Louis ficou tão excitado que saiu correndo, agarrou a primeira pessoa que viu passar (a história não registrou quem foi esse sortudo) e arrastou-a para o seu laboratório, a fim de lhe mostrar os tais cristais. Seu amigo, o físico Jean-Baptiste Biot, teria dito a ele mais tarde: "Meu filho, por toda a minha vida amei tanto esta ciência que chego a ouvir meu coração bater de alegria!". Isso é que é falar bonito...

Como já era um gênio, Louis logo percebeu várias implicações da sua descoberta:

> **Caderno de Segredos do Louis**
>
> Os cristais são feitos de moléculas e a forma das moléculas determina a forma dos cristais. Dado que a forma dos cristais afeta a luz, como demonstrei brilhantemente (isto é, armado da minha luminosa, fulgurante inteligência), posso descobrir a forma das suas moléculas simplesmente pelo modo como os cristais afetam a luz!
> Ulalá! Sou um gênio! (Como sempre achei, aliás.)

> Mais tarde...
> Fiz uma descoberta curiosa, que surpreendeu até mesmo a mim. Todas as coisas vivas são feitas de moléculas assimétricas, isto é, as moléculas podem existir na forma orientada à direita ou à esquerda. Podem ser que nem a gente: destras ou canhotas!
> Mais uma prova do gênio de Louis Pasteur!
> Vou entrar para a história!
> Uuuuuuuuuulalá!

SEGREDOS DA CIÊNCIA

A ideia de Louis de que a orientação à direita e à esquerda é a chave para entender a matéria viva é correta. Não só a lateralidade dos elementos químicos afeta seu cheiro e gosto e os torna comíveis ou não, como partículas subatômicas também têm tipos de lateralidade, que desempenham um papel importante no modo como a matéria formou a energia no início do Universo.

Graças a essa sua descoberta, em 1849, com apenas 27 anos, Louis tornou-se professor de química da Universidade de Estrasburgo. Mas, como Michael Faraday, algum tempo depois também trocou a química — em seu caso, pela biologia.

Nesse mesmo ano, conheceu e se casou com uma das filhas do reitor, Marie-Laurent. Ela era uma pessoa muito especial. Completamente dedicada a Louis, auxiliava-o com frequência em seus trabalhos. Devia ser o único jeito que encontrou para se relacionar com ele, que só pensava em suas pesquisas e raramente conversava com ela. Louis não era mesmo uma pessoa fácil, nem muito bem-humorada: das centenas de pinturas, fotos, esculturas e desenhos dele, só uma o mostra sorrindo.

> NÃO VEJO NADA POR AÍ QUE JUSTIFIQUE UM SORRISO.

> NEM EU.

Louis e Marie tiveram cinco filhos, mas, como era comum naquela época, três morreram ainda crianças, dois deles de tifo.

Bichos de beterraba

Em 1854, Louis foi nomeado professor de química da Universidade de Lille, no norte da França. Lille era a principal produtora de álcool de beterraba. Mas, com frequência, o caldo de beterraba virava vinagre em vez de álcool. Um certo monsieur Bigo, um figurão do mundo da beterraba, pediu ajuda a Louis, e Louis, acompanhado de seu microscópio de estimação, ajudou. Colheu amostras de caldo bom e caldo estragado e comparou-as.

O caldo bom era cheio de glóbulos de levedo. Já se sabia, na época, que o levedo era necessário para fazer as coisas fermentarem, e acreditava-se que a fermentação era uma reação química resultante da decomposição do levedo. O caldo estragado era cheio de umas espécies de bastõezinhos pretos torcidos, que Louis achou que tinham vida.

O superpoderoso cérebro de Louis pôs-se em funcionamento: será que o levedo e os bastonetes pretos eram seres vivos? Se fossem, quem sabe os processos vitais do levedo produziam álcool, enquanto os dos bastonetes produziam o ácido avinagrado.

Louis fez umas experiências com partículas de levedo e com os bastonetes pretos e descobriu que estes últimos podiam se reproduzir: então eram mesmo seres vivos! Louis disse a monsieur Bigo para fazer o seguinte: procurar os bastonetes pretos e, quando os encontrasse, descartar aquele lote de caldo. Monsieur Bigo fez o que ele disse e a indústria do álcool foi salva! Louis tornou-se um herói local.

A ideia de que os micróbios teriam alguma coisa a ver com as doenças não era nova, só que as pessoas achavam que eles eram produzidos pela doença, em vez de causá-las. Pode parecer ideia de jerico hoje em dia, mas vamos examiná-la direitinho.

Como criar a vida

Aristóteles achava que seres vivos podiam surgir quando coisas molhadas secavam ou quando coisas secas ficavam molhadas. Embora muita gente achasse essa ideia meio bizarra, até há poucos séculos as pessoas acreditavam que várias criaturas surgiam de matéria não viva — por exemplo, sapos, do lodo; vermes, da carne; e até as enguias, do barro, e os ratos, do trigo! Os cientistas foram pouco a pouco abandonando essas teorias, mas na época de Louis ainda se pensava que os micróbios — que haviam sido descobertos no fim do século XVII — surgiam por geração espontânea. Louis era muito carola e achava que só Deus podia criar a vida e que essas teorias (assim como as ideias de Darwin) eram puro besteirol.

As ideias políticas do Louis talvez o tenham ajudado a elaborar sua teoria:

Caderno de Segredos do Louis
Meditação nº 239

Pfff! Odeio a democracia! Que ideia mais idiota essa de que todo mundo é igual! Por acaso existe alguém igual a Pasteur? Xô com esses tais homens do povo, é o que digo! Gentinha suja e tapada! (Hmmm... eles me fazem pensar nos micróbios.) São uma ameaça à sociedade e precisam ser mantidos firmemente sob controle. É só deixar, que têm um montão de filhos. (Eles se multiplicam exatamente como os germes!) E impedem a sociedade de funcionar direito. (Exatamente como o corpo, quando fica doente!) A única coisa para a qual eles prestam é ser serviçais e limpar a casa de gente como eu. (Como os germes, que só servem para decompor coisas mortas.) Estou pressentindo que vem aí um novo feito científico que vai sacudir o mundo...

Os cientistas e seus experimentos de arromba

Bem, fosse lá por que fosse, o caso é que Louis tinha certeza de que o mundo estava cheio de germes causadores de doenças, circulando pelo ar na poeira. E tinha toda razão: a teoria de que os germes eram os causadores das doenças foi um sucesso total. Louis provou-a preparando um caldinho assim:

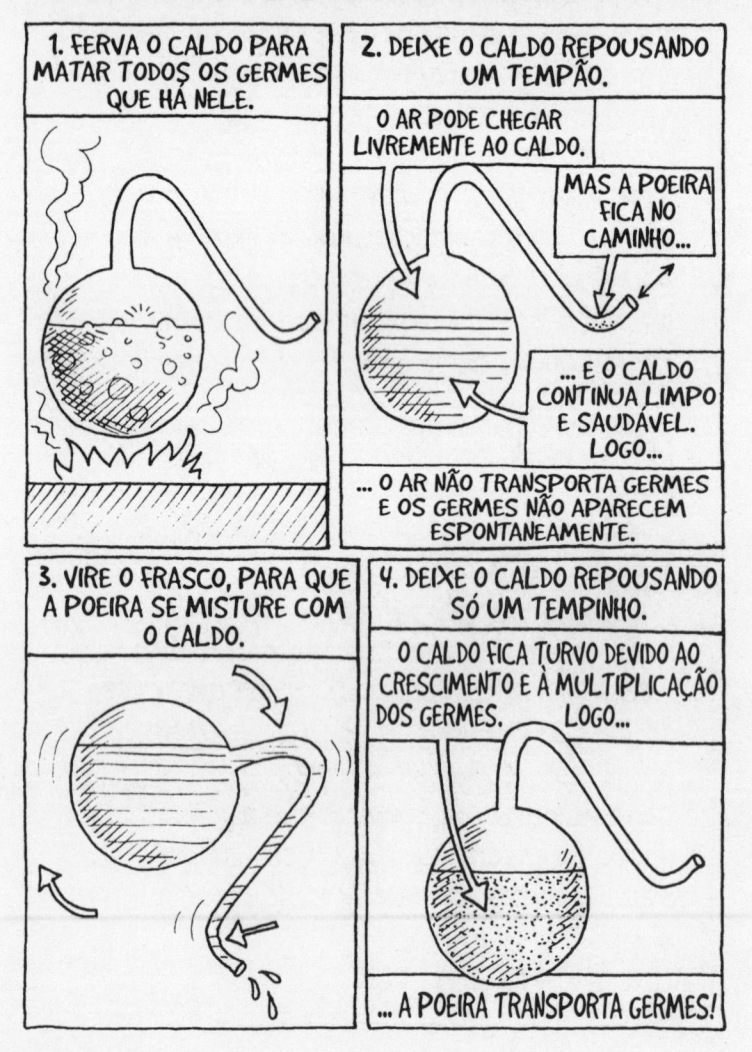

1. FERVA O CALDO PARA MATAR TODOS OS GERMES QUE HÁ NELE.

2. DEIXE O CALDO REPOUSANDO UM TEMPÃO.

O AR PODE CHEGAR LIVREMENTE AO CALDO.

MAS A POEIRA FICA NO CAMINHO...

... E O CALDO CONTINUA LIMPO E SAUDÁVEL. LOGO...

... O AR NÃO TRANSPORTA GERMES E OS GERMES NÃO APARECEM ESPONTANEAMENTE.

3. VIRE O FRASCO, PARA QUE A POEIRA SE MISTURE COM O CALDO.

4. DEIXE O CALDO REPOUSANDO SÓ UM TEMPINHO.

O CALDO FICA TURVO DEVIDO AO CRESCIMENTO E À MULTIPLICAÇÃO DOS GERMES. LOGO...

... A POEIRA TRANSPORTA GERMES!

Alguns desses frascos estão conservados num museu da França e continuam limpinhos até hoje.

SEGREDOS DA CIÊNCIA

Embora Louis não fosse — como ele dava a entender — o inventor da teoria de que toda doença é causada e propagada por um determinado tipo de germe, suas experiências ajudaram a provar que essa teoria era correta e abriram caminho para dominar as doenças, muitas delas eliminadas pelo próprio Louis.

Jantar com Louis

Jantar com os Pasteur não era nem um pouco divertido. Se você fosse convidado, seria mais ou menos assim:

Grade horária do jantar com Louis

16:30 Você chega para o jantar. Louis não aperta sua mão para não pegar doença.

16:40 Louis começa a limpar seus óculos limpíssimos.

16:50 Trazem a sopa e o pão. Louis começa a esfarelar seu pão.

17:00 O pão virou migalhas, que estão cercadas por coisas que Louis encontrou nele: pedaços de aranha, de lã, de barata etc.

17:05 Chega o prato principal: coelho. Louis fala das suas últimas experiências — dissecar coelhos, secar o cérebro do bicho, a dificuldade de separar os nervos da espinha, principalmente quando o coelho ainda está vivo, e diz que prefere mandar alguém fazer esse trabalho em seu lugar.

17:20 Sobremesa. Discurso de Louis sobre o horror que são os estrangeiros, os homossexuais e os canhotos.

Ah, é: você não deveria levar vinho alemão! Louis detestava tudo o que tivesse a ver com a Alemanha (ou melhor, Prússia, como a parte maior do país era chamada então).

Sendo superpatriota, Louis achou uma honra aceitar o pedido do imperador de ir a Arbois, perto da fronteira suíça, estudar as doenças do vinho. Foi até lá em 1864 e provou, mais uma vez, que os micróbios eram responsáveis por avinagrar o vinho. Desta vez descobriu como resolver o problema: aqueceu o vinho brevemente, num processo que mais tarde foi aplicado a uma porção de outras bebidas e que hoje é conhecido como pasteurização.

No mesmo ano, uma praga mundial do bicho-da-seda, iniciada em 1849 na China, chegou à França, e o governo pediu ajuda a Pasteur para acabar com ela. Embora já tivesse plena confiança na validade de suas teorias, Louis não estava nada seguro quanto à sua aplicação aos animais e jamais tinha visto um bicho-da-seda. Mesmo assim aceitou estudar o problema e concluiu que a doença devia ser transmitida pelos ovos do bicho. Aconselhou os criadores a utilizar apenas ovos de bichos-da-seda saudáveis e destruir o resto.

A sugestão não funcionou: mesmo os ovos dos bichos-da-seda saudáveis produziam larvas que morriam. A indústria da seda ficou decepcionadíssima, mas Louis logo descobriu que o cocô do bicho-da-seda também podia propagar a doença. Hurra! Mais uma indústria salva e mais uma promoção para Louis, que foi nomeado professor de química na Sorbonne, a celebérrima universidade de Paris onde havia estudado.

Naquela época, as ideias de Louis estavam se difundindo pelo mundo. Na Inglaterra, Joseph Lister, convencido da correção da teoria dos germes como causadores das doenças, descobriu uma maneira de matá-los sem pasteurização — usando ácido carbólico, vulgo fenol, para limpar feridas e mãos. Em pouco tempo, as descobertas do Louis haviam salvado mais vidas do que as de qualquer outro cientista.

Louis foi um cara saudável, em linhas gerais. Até 1868. No dia 19 de outubro desse ano, quando ia dar uma importante conferência científica, teve um derrame. Pareceu que ele ia morrer ou, em todo caso, parar de trabalhar. Mas em poucos meses Louis estava de volta ao batente e viajava a Londres para resolver um problema de azedamento de cerveja. Seu derrame não o impediu de continuar trabalhando, só o tornou mais irritadiço do que antes. O que não era nada bom, porque coisas muitíssimo irritantes estavam por acontecer.

Em 1871, a França perdeu a guerra franco-prussiana. Louis ficou tão chateado que jurou iniciar todas as suas futuras publicações científicas com as palavras "Ódio à Prússia. Desforra! Desforra!". O cientista também odiava o fato de não ter provado definitivamente sua teoria dos germes: eles estavam nitidamente associados às doenças, mas será que era verdade mesmo que cada doença era causada por um germe diferente? O pior de tudo é que, quando a teoria foi finalmente provada, quem a provou não foi Louis, mas um prussiano, Robert Koch.

Os cientistas e seus experimentos de arromba

Galinha à prova de cólera

Em 1878, Louis e seu assistente inventaram uma galinha à prova de cólera.

① GALINHA SAUDÁVEL.
DEIXAR GERMES DE CÓLERA SE DETERIORAREM ATÉ ESTAREM SEMIMORTOS E ENTÃO INJETAR NA GALINHA.

② CONTINUA SAUDÁVEL.

③ INJETAR NA GALINHA GERMES DE CÓLERA FRESQUINHOS E MORTÍFEROS.

④ CONTINUA SAUDÁVEL.

O que havia acontecido é que os germes debilitados, embora não fossem fortes o bastante para matar, haviam disparado as defesas naturais da galinha, cujo corpo produziu uma reação à cólera que se revelou eficaz contra os germes com força total da doença. Louis e outros cientistas usaram a mesma ideia (conhecida como vacinação) para proteger as pessoas contra outras doenças, como pólio, tétano, catapora, sarampo...

SEGREDOS DA CIÊNCIA

A ideia de vacinar as pessoas injetando nelas versões enfraquecidas das doenças mortais, a fim de tornar seus corpos capazes de produzir a proteção contra elas, salvou milhões de vidas.

O primeiro desses muitos sucessos foi contra o antraz (ou carbúnculo), a doença que Robert Koch havia utilizado para provar que a teoria dos germes era correta. Após algumas experiências com germes de antraz debilitados, Louis foi desafiado em 1881 a dar uma demonstração pública. Embora seu trabalho estivesse longe de completo, não conseguiu resistir. No dia 5 de maio, ele e seu assistente inocularam metade de um grupo de ovelhas, cabras e vacas com o antraz enfraquecido. No dia 17 de maio, inocularam os mesmos animais de novo e, em 31 de maio, injetaram na metade inoculada e na outra não inoculada uma dose que normalmente seria mortal. Todos os animais inoculados sobreviveram, enquanto os não inoculados morreram. Louis havia triunfado sobre mais uma doença mortal, salvando um número incalculável de animais das gerações vindouras.

NOSSO HERÓI!

Robert Koch não ficou nada satisfeito com Louis, que não o mencionou em seus relatórios sobre a doença. Depois, numa conferência internacional na Suíça, Louis deu-

-lhe uma esculhambada e, em resposta, Koch publicou uns artigos mostrando que o trabalho de Louis era preparado inadequadamente: como ele não sabia controlar a força dos germes enfraquecidos, alguns eram fracos demais para proporcionar proteção, e outros, tão fortes que podiam infectar animais saudáveis.

Muito mais tarde, descobriu-se que Louis também havia tapeado todo mundo sobre a maneira como preparava a vacina. Na verdade, um cientista chamado Jean-Jacques Toussaint é que havia sugerido a base do método de Louis. Mas Louis nunca havia mencionado isso, dando a pensar, ao contrário, que o método que usara era totalmente inovador e fora inventado por ele mesmo. Por isso, ficou com a fama só para si — e uma montanha de dinheiro também. Enquanto Jean-Jacques continuou pobre e teve um colapso nervoso um ano depois.

Coelhos raivosos

Uma das doenças mais devastadoras da época era a raiva. Seus efeitos terríveis na mente das pessoas sugeriam que o cérebro era contaminado, de modo que Louis experimentou infectar cães com o germe da raiva e curá-los com cérebro seco de coelhos raivosos. Era um trabalho arriscadíssimo e, corajosamente, Louis expôs-se muitas vezes ao risco da infecção. Mas foi um sucesso total. Segundo Louis.

O passo seguinte era, obviamente, testar a cura nas pessoas. Mas infectar pessoas com qualquer tipo de raiva, enfraquecida ou não, era muito arriscado. No entanto, em 1885 um rapaz chamado Joseph Meister foi levado a Louis por sua mãe. Joseph tinha sido mordido catorze vezes por um cão raivoso. Como parecia certo que ia desenvolver a raiva — e, se desenvolvesse, morreria —, Louis achou que não tinha nada a perder e injetou no rapaz sua vacina para a raiva. Joseph continuou saudável, enquanto Louis ficou mais rico e famoso ainda.

No entanto, quando foram dados a público um século depois, os cadernos de notas de Louis revelaram que a história verdadeira não era tão simples assim. Por um lado, embora cerca de 60% dos cachorros que ele havia tratado tivessem sobrevivido, mais ou menos a mesma porcentagem de não tratados também sobrevivera. Por outro, o método usado em Joseph não era exatamente o mesmo que ele usara nos cachorros (só o testou em cães depois). E, finalmente, Joseph podia muito bem ter sobrevivido se não tivesse sido feito nada: as pessoas mordidas por cães raivosos muitas vezes não desenvolvem a raiva. Logo, Louis *poderia* ter infectado uma pessoa saudável com uma doença mortal e incurável.

Mas Louis era um bocado sortudo. E Joseph também.

> SORTUDO, EU? LEVEI CATORZE MORDIDAS DE UM CACHORRO RAIVOSO, FUI COBAIA DO MALUCO DO PASTEUR, E VOCÊ AINDA ME CHAMA DE SORTUDO?

Nada disso se sabia na época. Louis era um herói e, em 1888, um instituto internacional de pesquisa e ensino, o

Instituto Pasteur, foi inaugurado pela Academia de Ciências da França. Louis foi seu primeiro diretor — e o terror da equipe do instituto, de tão linha-dura que ele era.

Ao longo da vida, Louis manteve em segredo seus cadernos de notas e exigiu que assim continuassem quando morresse. Provavelmente não conseguia decidir-se a destruí-los. Suas instruções foram seguidas desde a sua morte, em 1895, até 1971, quando seu último descendente homem morreu. Foram esses cadernos que revelaram que Louis não era bem aquele homem perfeito e maravilhoso que as pessoas achavam. Por outro lado, graças ao seu trabalho — e àquela personalidade tirânica que o tornava tão desagradável — milhões de pessoas que teriam morrido de doenças fatais sobreviveram. Talvez Louis tenha salvado mais vidas do que qualquer outro, antes e depois dele.

LOUIS PASTEUR
ESTA FOI SUA VIDA

Revolucionou:
a química e a biologia

PRINCIPAIS DESCOBERTAS:
- a estereoquímica
- comprovações da teoria dos germes
- pasteurização
- prevenção da cólera das galinhas, do antraz e da raiva

INTERESSES NÃO CIENTÍFICOS:
falar grosso e pintar

MARIE CURIE E SEUS RAIOS MORTAIS

Mais de um dos cientistas deste livro sofreu por causa das suas descobertas...

... mas só Marie Curie foi morta pelas suas. Ela deu literalmente a vida pela ciência!

Maria Salomea Sklodowska nasceu em Varsóvia, na atual Polônia, em 1867, ano em que Faraday morreu. Seus pais, um casal de professores, tinham cinco filhos, todos muito inteligentes. Até as brincadeiras dela e dos irmãos eram cerebrais: poesia "cabeça", colagens históricas, blocos de montar geográficos... Só que Marie era inteligente até para os padrões da sua família. Quando tinha quatro anos, pegou um livro que sua irmã de seis estava batalhando para ler e leu-o direitinho — e em voz alta.

A família de Marie era tão unida e amorosa quanto brilhante, mas naquela época doença e morte eram coisas corriqueiras, como Charles Darwin e Louis Pasteur perceberam. Uma irmã de Marie, Zosia, morreu bem cedo e, quando Marie tinha dez anos, foi a vez da sua mãe, levada pela tuberculose.

Marie era sempre a primeira da classe, apesar de ser dois anos mais moça que os colegas. Várias das matérias que estudavam eram, porém, proibidas. Como assim? É que, em 1867, a Polônia era dominada por vários países; Varsóvia estava sob o jugo dos russos, que queriam que todo mundo falasse russo e exerciam vigilância cerrada sobre os poloneses, para ver se eles obedeciam.

Sabe como Marie e seus colegas faziam? Fingiam que só estudavam as matérias permitidas pelos russos, mas na verdade aprendiam em polonês um monte de coisas proibidas. Por exemplo, de acordo com a grade horária oficial, Marie estaria estudando economia doméstica e botânica, mas na realidade estava aprendendo história da Polônia e alemão. Era arriscado, porque volta e meia o governo russo mandava um inspetor verificar como iam as coisas e o sujeito, muito amavelmente, fazia umas perguntas marotas em russo. Marie sempre era escolhida para responder em nome da classe e em geral se saía bem.

Apesar de toda essa situação, a escola de Marie era boa e ela a adorava. Mas, em 1878, foi transferida para outra porque — é o que se diz — seu pai achou que seria um desafio capaz de ajudá-la a superar o trauma da recente perda da mãe. Bota desafio nisso! Os professores eram todos russos, e nada simpáticos. Também não eram muito bons, porque foram selecionados para o trabalho por seu patriotismo, e não por sua capacidade. Marie na certa contava tirar A, como sempre, mas um dos professores se recusava a lhe dar mais do que C. Ele costumava dizer: "Só Deus merece A, e B está reservado para mim". Deve ter sido chatérrimo para ela.

> PRA ELA PODE SER, MAS PRA MIM ESTÁ ÓTIMO!

Você pode estar pensando que, até aqui, Marie parece certinha demais para ser verdadeira, mas ela sabia se defender quando queria e dar o troco aos seus professores antipáticos.

A nova escola não foi, portanto, muito agradável para Marie; pior ainda foi ver sua família contrair várias doenças para as quais as descobertas de Louis Pasteur ainda não haviam encontrado cura. Por isso Marie deve ter gostado quando, aos quinze anos, saiu da escola para ir morar um ano no campo com a família. Ela adorava dançar. Certa vez foi a uma festa que durou três dias e gastou a sola dos seus sapatos novinhos de tanto sacudir o esqueleto!

Desde então, virou fã incondicional do campo, para onde corria sempre que ficava doente ou infeliz. Nessa sua primeira estadia na roça, ela e seu primo se divertiram pregando peça nos outros, como ir pingando água no leite de algum distraído até deixá-lo totalmente aguado. Uma vez até...

> ... COLARAM NO TETO TUDO O QUE HAVIA NA SALA DA VÍTIMA!

Terminado o ano no campo, Marie teve de resolver um problemão. Era óbvio que tinha um cérebro superpoderoso e que devia ir para a universidade para aprender como utilizá-lo. Só que ela era uma moça, e moças não podiam entrar na universidade, nem em Varsóvia, nem em quase nenhum outro lugar. A Sorbonne (a superuniversidade de Pasteur, em Paris) era uma das raras que aceitava mulheres, mas — outro problema — a família de Marie não tinha grana para mandá-la estudar lá.

A universidade itinerante

Para sorte sua, em 1882, um grupo de poloneses criou uma "universidade itinerante" para moças como Marie. Era uma rede clandestina de pessoas que davam aulas e cursos em tudo que é lugar. Em 1884, Marie e sua irmã Bronia passaram a participar dela.

> ONDE VAI SER A PRÓXIMA REUNIÃO?

> NO ARMÁRIO DEBAIXO DA ESCADA.

A universidade itinerante, apesar de ensinar muita coisa, não podia dar diplomas. Para obtê-los, Marie e Bronia teriam de ir para Paris. Mas com que dinheiro? Não demoraram a bolar um plano genial. Bronia iria estudar durante quatro anos em Paris, enquanto Marie trabalharia de governanta para sustentar as duas. Depois ela iria encontrar a irmã na capital francesa e, por sua vez, diplomar-se, enquanto Bronia a ajudava. A ideia era ótima — para Bronia. Marie, agora com dezoito anos, iria para o campo cumprir sua parte do trato, trabalhando de governanta numa casa de família.

Amor e laboratório

Marie gostou do trabalho. Não só ensinava os filhos da família, como dava de graça — e clandestinamente — aulas de polonês para as crianças do vilarejo e ainda arranjava tempo para ler sobre um montão de temas. Logo descobriu que gostava sobretudo de matemática e física, e desgostava bastante dos filhos dos patrões, que eram uns bocós!

Mas, por volta de 1887, Marie se apaixonou pelo filho de seus empregadores, que foram mortalmente contra a relação dos dois. O quê? Essa pobretona namorando nosso filho?! Como ela disse sobre seus projetos de ter um relacionamento com ele: "Viraram fumaça. Enterrei-os; acorrentei-os; lacrei-os e esqueci-os — porque... os muros são mais duros do que as cabeças que tentam demoli-los".

Não é de espantar, portanto, que Marie se sentisse cada vez pior. Mas não entregou os pontos. Ela dizia que sua regra de vida era "nunca se deixar derrotar, nem por pessoas, nem por acontecimentos". Continuou, portanto, batalhando até 1889, quando voltou para Varsóvia, onde ficou com o pai por um ano. Durante esse período, seu primo lhe deu um presente e tanto: pôs à sua disposição um laboratório! Era, a bem da verdade, um laboratório mixuruca, não tinha aceleradores atômicos, computadores em rede, nem mesmo bicos de Bunsen, mas ela o adorou mesmo assim. Finalmente, sentia-se em casa. Desde então, o campo passou a ser seu segundo lugar favorito.

Os perigos de Paris

Em 1891, Marie, agora com 23 anos, foi ao encontro de Bronia e seu marido Kazimierz, em Paris. Infelizmente, não entendia uma palavra das conferências em francês dadas na Sorbonne, não se deu bem com Kazimierz e tinha pouquíssima grana. Bronia e Kazimierz de ricos também não tinham nada. Seis meses depois, Marie mudou-se para um apartamentinho minúsculo e sem aquecimento, onde viveu de pão e chá, passando fome e/ou frio com muita frequência.

Marie não levava uma vida típica de estudante: não dançava, não paquerava, não usava roupas diferentes nem ligava para música ou política. Para ela, estudar era a maior curtição de que necessitava, principalmente depois que passou a entender a língua. Desde então, os anos passados na Sorbonne, estudando o tempo todo, foram os mais felizes da sua vida.

Como era um gênio, e ainda por cima viciada em trabalho, Marie foi muito bem na universidade e em 1893 foi a primeira da turma em ciência. Passou as férias na Polônia, aproveitando para ir à forra depois daquele tempo todo a pão e chá. De volta à Sorbonne, continuou seus estudos, dedicando esse ano à matemática. Dessa vez foi só a segunda da turma.

Um romance científico

Nesse mesmo ano de 1894, Marie conheceu Pierre Curie, um jovem e tímido cientista vidrado em simetria dos cristais (como Louis Pasteur) e magnetismo (como Michael Faraday). Pierre havia recém-descoberto que, quando pressionava certos cristais, eles produziam eletricidade, uma descoberta que acabou levando aos relógios digitais. Outra descoberta sua foi que gostava de Marie e que Marie gostava dele. Como era um cara super-romântico, mandou para ela um trabalho científico que escrevera sobre os fenômenos cristalográficos. O lindo presente conquistou Marie de vez.

Poucos meses depois, Pierre pediu-a em casamento. Marie ficou encantada com o pedido, mas um bocado indecisa também, pelo fato de o noivo não ser polonês. De modo que foi para o campo pensar um pouco no assunto. Depois de umas tantas cartas de Pierre, na certa cheias de apaixonadas equações diferenciais não lineares e de polinômios complexos, disse que sim.

A mãe de Kazimierz ofereceu-se para comprar o vestido de noiva; Marie pediu então um vestido escuro e prático, que depois pudesse usar no laboratório.

Os cientistas e seus experimentos de arromba

De volta da lua de mel, Marie foi atrás de um tema de estudo para o seu doutoramento. Não se intimidava nem um pouco com o fato de que, na Europa, nunca uma mulher havia obtido o título de doutora.

Um dos mais recentes mistérios da ciência eram os raios X, com sua capacidade de atravessar a maior parte dos materiais. Haviam sido descobertos em 1895 por Wilhelm Roentgen e podiam ser usados para espiar as pessoas por dentro sem precisar abri-las à faca. Em 1896, um cientista chamado Henri Becquerel descobriu que o urânio, um metal denso, emitia raios misteriosos parecidos com os raios X.

Marie achou que aqueles raios eram justamente o raio de tema que ela estava procurando e, em 1897, parando apenas para ter a filha, que chamou de Irène, começou a trabalhar. Não ter grana complicava as coisas, por isso Marie teve de se contentar com uma velha sala envidraçada que uma escola lhe ofereceu. Apesar de a temperatura no seu laboratório improvisado variar de 6 °C a 35 °C e ser de uma umidade de arrepiar sapo, para Marie era um paraíso.

O elemento misterioso

Nos meses seguintes, Marie pesquisou vários materiais para descobrir se eles emitiam os misteriosos raios do Henri Becquerel ou não. E, em fevereiro de 1898...

> **DIÁRIO FOSFORESCENTE DE MARIE**
>
> P. 16
>
> Uau! Testei a pechblenda, um mineral de que o urânio é extraído. Ela é QUATRO vezes mais ativa do que o urânio!
>
> Deve conter algum outro material ativo, desconhecido da ciência. Ou que ninguém estudou sob esse aspecto.

> P. 19
>
> Descobri uma coisa incrível sobre essa substância misteriosa e superativa. Sua atividade é a mesma qualquer que seja o estado químico da pechblenda.
>
> Isso quer dizer que a fonte de atividade não é uma reação química. Só pode ser uma coisa dentro do próprio átomo.
>
> Cacilda!

Marie tinha encontrado a chave para uma nova ciência: a física nuclear.

SEGREDOS DA CIÊNCIA

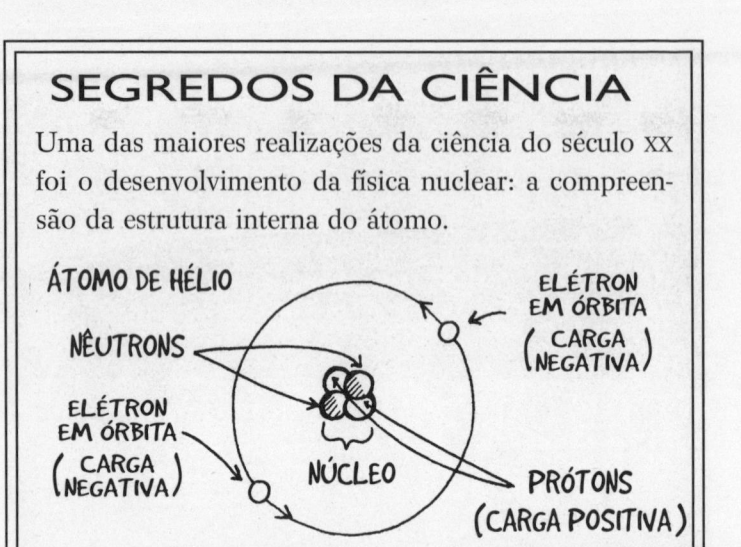

Uma das maiores realizações da ciência do século XX foi o desenvolvimento da física nuclear: a compreensão da estrutura interna do átomo.

ÁTOMO DE HÉLIO
NÊUTRONS
ELÉTRON EM ÓRBITA (CARGA NEGATIVA)
ELÉTRON EM ÓRBITA (CARGA NEGATIVA)
NÚCLEO
PRÓTONS (CARGA POSITIVA)

Ao contrário dos outros cientistas deste livro, Marie não se interessava muito pelo lado teórico da ciência. Ela queria entender o Universo experimentando, e não teorizando. É claro que a experiência seguinte era a de separar a misteriosa substância radioativa da pechblenda, para então estudá-la direito.

> DIÁRIO FOSFORESCENTE DE MARIE
> P. 22
> Pierre começou a me dar uma mão no trabalho. Vou descobrir essa estranha substância custe o que custar! Vou fazer o seguinte: com uns tratamentos químicos, separo a pechblenda num par de subs-

> tâncias que a constituem. Testo então cada membro do par para ver se ainda produz radiação. Depois separo a substância noutro par de substâncias e descubro outra vez em que membro o elemento misterioso está escondido.

Usando esse método, Marie descobriu que na verdade eram duas as fontes de radioatividade presentes, e em 1898 conseguiu encontrar uma delas, um novo elemento que ela chamou de *polônio*, em homenagem à sua terra natal. Foi ao anunciar a descoberta que empregou pela primeira vez a palavra "radioatividade".

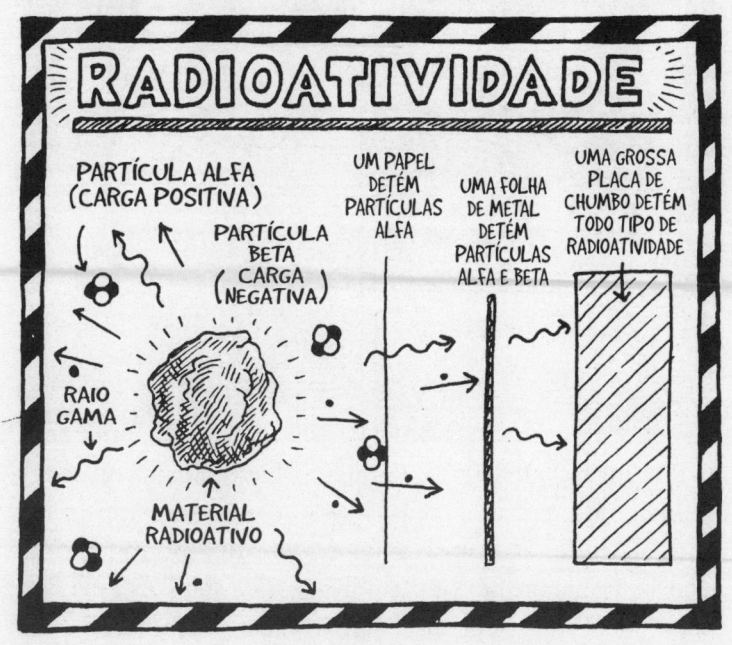

RADIOATIVIDADE

- PARTÍCULA ALFA (CARGA POSITIVA)
- PARTÍCULA BETA (CARGA NEGATIVA)
- RAIO GAMA
- MATERIAL RADIOATIVO
- UM PAPEL DETÉM PARTÍCULAS ALFA
- UMA FOLHA DE METAL DETÉM PARTÍCULAS ALFA E BETA
- UMA GROSSA PLACA DE CHUMBO DETÉM TODO TIPO DE RADIOATIVIDADE

Naquele mesmo ano, Marie e Pierre descobriram o segundo elemento, que chamaram de *rádio*.

Mas ainda não era o fim da história. Marie sabia que o que ela e Pierre haviam encontrado eram substâncias que *continham* os dois novos elementos. Ela não os havia isolado em forma pura, e era isso que queria fazer agora: isolar especialmente o mais radioativo, o rádio.

Química da pesada

Marie conseguiu arranjar um laboratório bem melhor: uma antiga sala de dissecação de cadáveres. No início de 1899, conseguiu também uma boa quantidade de pechblenda, e ela e Pierre puseram mãos à obra.

Era um trabalho duro. Enquanto Pierre analisava os resultados, Marie se encarregava de todo o trabalho muscular. Para os Curie, dedicar-se 24 horas por dia (no mínimo) à ciência, trabalhar juntos e empregar todas as suas energias para descobrir o elemento misterioso era a coisa mais linda que havia. "Vivemos nossa única preocupação como se fosse um sonho", dizia ela.

Três anos e dez meses mais tarde, tiveram êxito: extraíram 0,1 grama de rádio de mais de 1 milhão de quilos de pechblenda, e o elemento que encontraram era muito mais curioso do que imaginaram. Ao contrário de qualquer outro metal conhecido, ele produzia calor e brilhava! Certa noite, quando Marie e Pierre entraram no laboratório, se depararam com uma surpresa: certas partes da sala estavam cobertas com manchas que emitiam um brilho azul-esverdeado.

O raio destruidor

Nos anos seguintes, Marie e Pierre estudaram as estranhas propriedades do rádio. Descobriram que ele tornava o vidro fosco e fazia com que outras substâncias ficassem radioativas. Não imaginavam que o rádio também estava afetando a eles próprios: em fins de 1902 tiveram várias doenças, provavelmente causadas pela exposição constante à radioatividade. Mas muito maior era o dano que ela estava causando às células do casal.

SEGREDOS DA CIÊNCIA

A radioatividade é nociva às células vivas de diversas formas. A destruição que causa pode afetar o modo de crescimento destas, acarretando o câncer ou modificações que são transmitidas aos filhos. Essas modificações são chamadas mutações e quase sempre são danosas às crianças. Mas às vezes a mutação pode ser benéfica, e nesse caso tem boa chance de passar para as gerações seguintes, como Darwin descobriu e Mendel explicou.

Pode parecer esquisito, mas quando souberam que o rádio podia queimar a pele, a reação dos cientistas não foi...

mas sim...

porque pensaram que ele poderia servir para o tratamento do câncer. E serve mesmo, de certo modo. A radioatividade destrói as células cancerosas, mas, como não é seletiva, também destrói células sadias. Logo, quando é usada para tratar o câncer, suas energias destruidoras precisam ser dirigidas e contidas com muita precisão.

Doutora Curie

Por fim, Pierre obteve o cargo de professor assistente na Sorbonne. Depois foi promovido a titular, enquanto Marie tornou-se chefe de laboratório. Mas nem toda a vida dos Curie era voltada para as coisas científicas. Ou *não totalmente*. Quer dizer, na verdade era, mas ela não se passava exclusivamente nos laboratórios: eles também participavam de chás científicos e até fizeram um passeio científico de bicicleta pela costa da Bretanha. Outro cientista, chamado Paul Langevin, acompanhou-os no passeio. Daqui a algumas páginas você vai ver o resultado dessas pedaladas...

Em junho de 1903, Marie achou que já estava suficiente-

Marie Curie e seus raios mortais

mente preparada para fazer seu doutoramento. Obteve o diploma sem problema. Paul Langevin deu um jantar em homenagem a ela, para comemorar o canudo. Em dezembro, Marie, Pierre e Henri Becquerel ganharam juntos um recente prêmio anual de física — um tal de prêmio Nobel — pelo trabalho com a radioatividade. O prêmio Nobel era concedido desde 1901, para várias atividades, e Marie foi a primeira mulher a recebê-lo. Adivinhe qual foi a segunda: sua filha!

De repente, Marie ficou famosa de morrer e apareceu em todos os jornais. Ela detestava ser uma pessoa conhecida, e dizia: "Devemos nos interessar por coisas, não por gente".

Uma dessas coisas era tão famosa quanto Marie: o rádio. As pessoas estavam fascinadas com seu brilho (o do rádio) e uma bailarina chegou até a impregnar seu traje de dança com ele. Uma noite ela apareceu brilhando na casa dos Curie e dançou só para eles. Acabaram até ficando amigos.

Quando pareceu que podia curar tudo que é câncer, o rádio ficou mais famoso ainda. E muito mais caro também: se em 1903 ele já custava 400 libras o grama (o que hoje equivaleria a aproximadamente 29 mil libras), em 1918 valia a bagatela de 20 mil libras (mais ou menos 650 mil libras nos dias de hoje)! Marie e Pierre poderiam ter patenteado o processo de extração, e as empresas teriam então de lhes pagar o que se chama de *royalties* (direitos) para utilizá-lo. Mas eles achavam que patentear o processo atrapalharia o progresso da ciência e iria "contra o espírito científico". Em vez disso, associaram-se em 1904 a um químico industrial para ganhar um dinheirinho com a exploração médica do rádio. Naquele mesmo ano nasceu a segunda filha deles, Eve.

No ano seguinte, começou-se a utilizar o rádio para a cura do câncer. Enquanto isso, Marie e Pierre passaram a frequentar sessões espíritas, para ver se descobriam alguma coisa desse lado.

Tombo fatal

Agora, quase tudo corria às mil maravilhas para os Curie: eles tinham a seu crédito importantes descobertas científicas, algum dinheiro, duas filhas e boas condições de trabalho. De ruim mesmo, só duas coisas: não iam muito bem de saúde e eram famosos de morrer. Até que, um dia, em 1906...

Marie ficou totalmente desnorteada. Perdeu aquele que era não só seu melhor colega e seu melhor amigo, mas também seu marido! Acabou chegando à conclusão de que a única coisa que tinha a fazer era continuar trabalhando. Assim, após um mês passado com a família, estava de volta ao laboratório. Logo em seguida, Bronia foi lhe fazer companhia. Ofereceram a Marie o cargo que Pierre ocupara e, como ela havia decidido dar continuidade ao trabalho dele, aceitou. Uma das obrigações de Pierre fora dar aulas de física, o que ela precisou fazer também.

Marie Curie e seus raios mortais

A fama de Marie cresceu mais ainda depois da morte do marido, por isso o anfiteatro ficava lotado de curiosos, e aquela gente toda a deixava nervosíssima. Quando ela entrava, era recebida por uma estrondosa salva de palmas, mas nem parecia ouvir e iniciava logo sua aula sobre, por exemplo, a desintegração dos átomos, entre outros temas amenos. Primeira mulher a lecionar na Sorbonne, começou a partir do ponto que Pierre havia tratado em sua última aula.

Durante anos, Marie não fez nada além de trabalhar. Não via ninguém que não tivesse relação com o trabalho e não falava de outra coisa. Cuidava com o maior carinho das filhas, mas não era uma mãe muito divertida. Por sorte, o pai de Pierre estava por lá para suprir essa defi*ciência*.

Em 1909, o Instituto Louis Pasteur propôs a construção de um laboratório especial para que Marie estudasse os efeitos médicos do rádio. A Sorbonne ficou em pânico com a ideia de perder sua maior estrela e sugeriu que ela, Sorbonne, e o instituto se juntassem e construíssem um novo Instituto do Rádio, com dois laboratórios, um para estudar radiofísica e radioquímica, e outro para estudar os usos médicos da radioatividade.

Cientistas da pá virada

Na primavera de 1910, Marie continuava tal como sempre estivera desde a morte de Pierre: retraída, de aspecto doentio, vestida de preto. Mas no verão começou a usar vestidos brancos e enfeitar-se com flores. A razão era Paul Langevin.

Paul era cientista: foi ele que inventou o sonar e elaborou uma teoria atômica do magnetismo que teria deixado Michael Faraday encantado. O par ideal para Marie, portanto — só que era casado. Naquela época, os homens casados costumavam ter seus casos fora do casamento e ninguém dava muita bola para isso (muitas vezes, nem mesmo a esposa), contanto que tudo corresse na maior discrição. Mas caso com mulher famosa, nem pensar! Jeanne Langevin não demorou para descobrir a ligação entre os dois e ameaçou matar Marie. Também ameaçou publicar umas cartas de amor trocadas pelos pombinhos, que conseguiu que roubassem para ela.

Em 1911, Marie foi convidada, com Paul e outros cientistas famosos, a participar de um congresso científico internacional que foi chamado de Conferência de Solvay. Ela aproveitou muito, e até fez amizade com Albert Einstein, já um cientista famosérrimo de morrer (Einstein disse que Marie era de uma "inteligência fulgurante"). A conferência foi ótima, mas para Jeanne a presença de Marie e Paul no mesmo lugar público — mesmo que eles não estivessem propriamente juntos — passou da conta. Jeanne então resolveu publicar num jornal as cartas roubadas. Foi um deus nos acuda! De repente, ninguém parecia a favor de Marie. Não era só o fato de namorar um homem casado que as pessoas criticavam: elas também não gostavam de ela ser polonesa e, ainda por cima, de esquerda!

Marie Curie e seus raios mortais

O que aconteceu em seguida foi praticamente a única coisa a deixar Marie exultante: ela se tornou a primeira pessoa a receber dois prêmios Nobel! Este segundo, pela descoberta do polônio e do rádio.

No entanto, a tensão por ser perseguida, a constante exposição à radioatividade e a má alimentação derrubaram Marie, que pegou uma séria infecção renal. Levou um ano até que ela se restabelecesse, porém Marie nunca mais ficou cem por cento. Rompeu com Paul, nunca mais teve outro caso e nunca mais se vestiu de branco.

Dedicou-se de corpo e alma ao desenvolvimento do Instituto do Rádio e, para escapar da imprensa, começou a viajar bastante, assim que se sentiu suficientemente bem. Em março de 1913, fez o tipo de viagem que adorava, pois misturava campo e ciência. Albert Einstein e seu filho Hans se juntaram a Marie e suas filhas para uma caminhada pelas montanhas. Embora gostasse de Marie e achasse sua capacidade intelectual impressionante, Albert achou-a meio fria nesses dias que passaram juntos. Como naquela época ela andava mais ou menos fugindo da imprensa, não é de espantar que não estivesse muito radiante.

A volta por Xima

Em 1914, estourou a Primeira Guerra Mundial, que trouxe uma mudança radical na vida de Marie. Ela afirmou: "Certamente vou ter de pôr a ciência de lado e pensar apenas nos interesses nacionais mais urgentes". Era uma decisão e tanto, porque a ciência sempre havia desempenhado o papel principal na sua vida e, nos últimos oito anos, havia sido a única coisa que lhe importara. Mas, para Marie, o patriotismo também era importantíssimo.

Paris foi evacuada. Marie, no entanto, ficou na cidade

Os cientistas e seus experimentos de arromba

quase deserta para proteger seu Instituto do Rádio (recentemente construído) e o rádio que lá havia. Mais tarde, com Paris ameaçada, levou o estoque de rádio para um banco em Bordeaux. Mas ela também se preocupava com o que poderia fazer para ajudar no esforço de guerra.

Marie Curie e seus raios mortais

Mas Marie não se deixava vencer facilmente e, antes do fim da guerra, tinha montado dezoito carros de raio X, que às vezes ela mesma dirigia. Também treinou as enfermeiras para utilizá-los. Uma delas era sua filha Irène, e as duas trabalharam juntas pelo resto da vida de Marie.

Ao terminar a guerra, em 1918, Marie voltara a ser popularíssima: havia dado provas de patriotismo e o caso com Paul Langevin estava quase esquecido. Quando a paz foi anunciada, Marie fez algumas bandeiras francesas, colocou-as no Instituto do Rádio e, finalmente, começou a trabalhar lá.

Mas a guerra a mudara muito. Ela já não se dedicava unicamente à ciência, pois sabia que, para construir um mundo melhor sobre as ruínas do velho mundo, também era importante o trabalho político. Por isso, em 1922, entrou para a Comissão de Cooperação Intelectual da Liga das Nações e tratou de convencer Albert Einstein a participar também.

Havia outras atividades não científicas igualmente necessárias. Apesar de novinho em folha, o Instituto do Rádio vivia numa pindaíba danada, faltava grana até para comprar rádio. Marie se uniu a uma xará, a jornalista Marie Meloney, e as duas organizaram uma campanha para angariar fundos. Até fizeram um giro de uma semana pelos EUA para levantar dinheiro.

Nessa época, Marie era famosa de morrer, todo mundo queria conhecê-la e dizer-lhe que ela era uma pessoa bárbara, tanto assim que foi recebida em Nova York ao som de três hinos nacionais diferentes, cantados ao mesmo tempo, ainda por cima. Para a turnê americana, até fez uma concessão à moda: comprou um chapéu (o mais barato que encontrou).

Na verdade, Marie não se empolgou muito com a viagem. Sua xará garante que a cara dela era "a mais triste que eu já vi na vida", e isso antes mesmo de partirem da Europa. Mas Marie adorou conhecer os cientistas mais famosos do pedaço e, claro, visitar seus laboratórios.

A estratégia de levantar fundos bolada por Marie foi um bocado criticada. É claro que as pessoas estavam mais dispostas a dar dinheiro para a cura do câncer do que para alguma pesquisa de ciência pura sobre a natureza do Universo. Por isso mesmo, embora não houvesse provas convincentes de que o rádio era de fato eficaz para a cura do câncer, a propaganda de Marie centrava-se precisamente nisso. A culpa não era toda sua: as pessoas tinham certa dificuldade em acreditar que uma mulher pudesse ser uma grande cientista, mas que fosse capaz de cuidar de dodóis era uma ideia a que estavam acostumadas desde criancinhas. Bom, o caso é que a turnê deu certo e terminou até com o presidente Harding dando a Marie um grama de rádio para o seu instituto.

Rádio: a terrível verdade

O Instituto do Rádio era o único lugar em que Marie gostava de estar. Em 1927 ela declarou: "Não sei se poderia viver sem o laboratório". Do mesmo modo que Pasteur e seu instituto ou Newton e a Royal Society, Marie tratava o Instituto do Rádio mais ou menos como se fosse sua propriedade, sua casa, tanto que alguns funcionários e estagiários chegavam a achá-la fria e ditatorial. Mas ela ficou mais humana quando se convenceu de que aquele pessoal era dedicado de verdade à ciência. Nem por isso o instituto deixou de ser um lugar sério — era muito mais parecido com um mosteiro do que o mosteiro do Gregor.

Entretanto, nem todo mundo levava o rádio tão a sério assim...

A festa durou até 1925, quando ficou claro que mesmo pequenas doses de radioatividade podiam matar. Marie não levou muito a sério essa descoberta. Ela não podia admitir que uma coisa tão sensacional, em que ela e Pierre haviam trabalhado tanto e que não a tinha matado após tantos anos de exposição, podia ser de fato perigosa. Marie passou a fazer exames de sangue em seus funcionários, que também começaram a usar protetores de chumbo, mas continuou convencida de que o dano causado no tecido vivo pela radioatividade era temporário. Quando seus funcionários ficavam doentes, ela os mandava para o campo, que era a sua cura para todos os males.

Em 1929, quem ficou doente foi Marie, o que não a impediu de fazer outra viagem aos EUA a fim de levantar fundos para comprar mais rádio. Mas não para o seu instituto, e sim para um novo Instituto do Rádio criado na Polônia e dirigido por sua irmã, Bronia. Cinco anos mais tarde, sua filha Irène e o marido dela, Frédéric, conseguiram realizar o que os alquimistas (como Isaac) vinham tentando havia séculos: transformaram um elemento em outro usando a radioatividade: converteram alumínio numa forma radioativa de fósforo. Por essa descoberta, o casal ganhou o prêmio Nobel, o que foi a última grande satisfação que Marie teve na vida.

Nesse mesmo ano, ela trabalhava no seu amado laboratório quando foi derrubada por uma febre tremenda. Correu para o campo, mas desta vez não adiantou: morreu um mês depois, provavelmente de leucemia causada por anos de exposição à radioatividade. Seus cadernos de notas ainda são tão radioativos que quem quiser folheá-los tem de assinar um termo assumindo a responsabilidade pelos danos eventuais que essa ousadia poderá causar.

Marie foi enterrada ao lado de Pierre, em Sceaux, nos arredores de Paris. Bronia jogou sobre o caixão um punhado de terra polonesa.

MARIE CURIE
ESTA FOI SUA VIDA

Revolucionou:
a física

PRINCIPAIS DESCOBERTAS:
• rádio e polônio

INTERESSE NÃO CIENTÍFICO:
o campo

Marie não formulou nenhuma teoria sobre de onde viria a enorme energia da radioatividade. Coube a um dos maiores cientistas de todos os tempos descobrir a incrível verdade: um amigo de Marie, Albert Einstein.

ALBERT EINSTEIN E SUAS LEIS DO TEMPO

Albert Einstein explicou a radioatividade que tornou famosos os Curie, levou adiante o projeto de Galileu de aplicar a matemática ao Universo, aperfeiçoou as leis de Newton, desenvolveu as ideias de unificação de Faraday, teve a paciência de Mendel, era muitíssimo mais divertido que Pasteur e gostava do mar tanto quanto Aristóteles. E não só é o mais famoso de todos os cientistas, como sem dúvida nenhuma o mais brilhante.

Albert nasceu em Ulm, Alemanha, em 1879. Seu pai era vagamente engenheiro e sua mãe era intensamente apaixonada pela música. Ao longo da sua vida, Albert seria intenso, vago e melômano também.

Ensinar a Albert não deve ter sido mole. Ele queria entender por que as coisas eram como eram, e não apenas ter aulas disso ou daquilo. Quando não entendia alguma coisa, não pensava simplesmente "Ah, isso tá muito complicado!" e ligava a tevê. (Até porque não tinha tevê naquele tempo.) Albert não descansava enquanto não entendesse direitinho.

Os cientistas e seus experimentos de arromba

Além do mais, sua escola não ajudava muito. Para os professores, ensinar era fazer os alunos decorarem as matérias, logo nem é preciso dizer que Albert e eles não se davam muito bem. Por sorte, toda semana seus pais convidavam um cara cultíssimo, chamado Max, e os dois conversavam sobre ciência. Albert aprendeu mais com Max do que com seus professores. Max lhe emprestava uns livros e Albert aprendia rapidinho cada vez mais coisas e se tornava cada vez mais crânio. Até que um dia...

NÓS VAMOS PARA MILÃO, COMEÇAR UMA VIDA NOVA. NÃO NOS ESPERE PORQUE NÃO VAMOS VOLTAR TÃO... NA VERDADE, NUNCA.

MAS ANO QUE VEM, QUANDO TERMINAR A ESCOLA, VOCÊ PODE IR PRA LÁ TAMBÉM.

Como era a pessoa mais inteligente que já passou pela Terra, Albert logo descobriu um jeito de escapar da escola e foi se encontrar com os pais antes do que eles esperavam. Chegando a Milão, Albert deu um tempo para que eles se recuperassem da surpresa e soltou outra bomba: não queria mais ser alemão. Naquela época, a Alemanha — inclusive suas escolas — era um país supermilitarista, o que Albert odiava. Seus pais suspiraram, disseram que tudo bem, e o sr. Einstein escreveu uma carta para a Alemanha pedindo que permitissem que seu filho renunciasse à cidadania alemã. Assim, no dia 28 de janeiro de 1896, Albert tornou-se oficialmente apátrida.

Albert adorava a Itália, mas chegou à conclusão de que tinha de ir para a Suíça aprender mais ciência numa superescola, o Instituto Politécnico de Zurique — vulgo Poli.

Albert Einstein e suas leis do tempo

O mistério da luz

Infelizmente, levou pau nos exames de ingresso. Inacreditável, não é? Talvez saber disso reconforte você, se bombou (ou bombar) alguma vez. Ele também deve ter ficado besta! Ainda bem que o diretor da Poli percebeu que tinha diante de si um gênio e sugeriu que Albert entrasse em outra escola, em Aarau, onde poderia se preparar para prestar de novo o exame.

Albert aproveitou muito a escola de Aarau, mesmo porque era agora tão crânio que estava pronto para dar início à tarefa de decifrar o Universo, o que parecia uma boa ideia. Ele se fez então a seguinte pergunta:

COMO SERÁ VIAJAR NUM RAIO DE LUZ?

Havia duas maneiras de responder a essa pergunta:

Ⓐ FAÇA VOCÊ MESMO A SUA ESPAÇONAVE

Ⓑ ?

Albert escolheu a segunda, porque era mesmo o que ele tinha de fazer: pensar. Levou dez anos pensando. Por ora, a única conclusão a que chegara era que havia uma coisa estranha no Universo: por alguma razão, se viajasse num raio de luz, veria esse raio como um campo eletromagnético variável que não se movia no espaço. Só que essa razão nunca tinha sido encontrada. Era muito intrigante.

Albert fez os exames para entrar na Poli e desta vez conseguiu. Lá ele fez bons amigos, como Marcel Grossman e Mileva Maric. Estudou matemática, física e astronomia — um pouquinho. Costumava pegar emprestadas as notas de Marcel, pois, em vez de fazer as próprias anotações, durante as aulas ficava pensando em outras coisas e se apaixonando por Mileva.

Além de ajudá-lo a passar nos exames da Poli, Marcel arranjou-lhe um emprego no Serviço de Patentes, em Berna, como examinador de patentes. O seu trabalho consistia principalmente em analisar os projetos enviados por seus amigos inventores e pegar eventuais furos. Um trabalho científico e divertido. Enquanto isso, na Hungria, Mileva dava à luz uma menina, Lieserl. De volta para a Suíça, ela e Albert se casaram, mas Lieserl foi abandonada — é possível que tenha sido adotada, pode ser também que tenha morrido de escarlatina. Como, naquela época, as pessoas que tinham filhos sem ser casadas eram muito malvistas (ao contrário da época de Galileu, quando só os filhos sofriam), Albert também pode ter pensado que perderia o emprego se viessem a saber da filha. De toda maneira, e para dizer o mínimo, Albert foi insensível com Mileva e Lieserl.

As leis do tempo

Bom, Albert por fim casou e fixou residência — pelo menos por um tempo. Era ocupadíssimo, porque, além de trabalhar seis dias por semana no Serviço de Patentes, dava aulas particulares e teve outro filho, Hans Albert. Mas era feliz com Mileva e o casal ganhava um dinheirinho razoável. Estava na hora de solucionar aquele mistério da viagem na velocidade da luz que o vinha intrigando nos últimos dez anos. Ele aproveitou para resolver, de lambuja, alguns outros mistérios da ciência.

① ÁTOMOS (PEQUENOS DEMAIS PARA SEREM VISTOS)...

② ... COLIDEM COM PARTÍCULAS MINÚSCULAS...

③ ... MAS VISÍVEIS AO MICROSCÓPIO...

④ ... PERMITINDO CALCULAR O TAMANHO E O MOVIMENTO DOS ÁTOMOS A PARTIR DO MOVIMENTO DAS PARTÍCULAS.

$$\langle x^2 \rangle = \frac{RT}{3\pi N a \eta} t$$

Os cientistas e seus experimentos de arromba

> O MODO COMO OS ELÉTRONS PODEM SER EJETADOS DE UM METAL PELOS RAIOS DE LUZ...

> ... SÓ PODE SER EXPLICADO SE A LUZ FOR FEITA DE CORPÚSCULOS (E TAMBÉM DE ONDAS).

> ① O FATO DE A VELOCIDADE DO RAIO DE LUZ SER A MESMA...

> ② ... QUALQUER QUE SEJA A VELOCIDADE DO OBJETO...

> ③ ... SIGNIFICA QUE O FLUXO DO TEMPO...

> ④ ... A FORMA E A MASSA DOS OBJETOS...

> ⑤ ... SE ALTERAM DEPENDENDO DA VELOCIDADE DELES EM RELAÇÃO UM AO OUTRO.

É difícil dizer qual das descobertas que fez em 1905 é a mais importante. Em todo caso, a mais famosa é, sem dúvida, a teoria da relatividade. Para formulá-la, Albert não fez nenhuma experiência, nenhuma observação, nem mesmo um só calculozinho — não no começo, pelo menos. Chegou a esse resultado somente pela lógica, mais ou menos como Aristóteles, só que Albert deu as respostas certas.

Depois de mais algumas experiências exclusivamente cerebrais, eis as suas conclusões:

AS REGRAS DO TEMPO E DO ESPAÇO

- *Não se pode dizer que dois acontecimentos ocorrem ao mesmo tempo.*
- *Relógios em movimento andam mais devagar em relação à pessoa por que passam.*
- *Objetos móveis encolhem em relação à pessoa por que passam.*
- *Objetos móveis ficam mais pesados em relação à pessoa por que passam.*
- *Você não pode dizer se está em movimento (era o que Galileu sempre sustentou).*
- *Você não pode se mover mais depressa que a luz.*
- $E = mc^2$

NÃO PRECISO EXPLICAR QUE E = ENERGIA, M = MATÉRIA E C = VELOCIDADE DA LUZ.

A equação $E = mc^2$ diz que matéria e energia podem se transformar uma na outra e que cada partícula de matéria equivale a uma enorme quantidade de energia. Para calcular quanto é esse enorme, é só você multiplicar a quantidade de matéria pela velocidade da luz elevada ao quadrado. Sendo a luz tão rápida a ponto de dar sete voltas à Terra num só segundo, já imaginou quão gigantesca é a sua velocidade ao quadrado? $E = mc^2$ explica, portanto, a radioatividade: a energia proveniente dos átomos que mata as células cancerosas (e que matou Marie também) é criada pela destruição de matéria.

Os cientistas e seus experimentos de arromba

> ## SEGREDOS DA CIÊNCIA
> A descoberta de Einstein, de que massa e energia podem se transformar uma na outra, revolucionou a ciência. $E = mc^2$ explica como as reações químicas funcionam, como a luz é produzida, por que o Sol brilha e como os átomos se formam. Também abriu caminho para as usinas nucleares — e para a bomba atômica.

Nos anos seguintes, Albert trabalhou para diversas universidades — assim como teve um segundo filho, Eduard, em 1910 — e em 1914 foi convidado para trabalhar numa universidade em Berlim. Não estava muito contente com o fato de ser na Alemanha, mas não pôde resistir à exaustiva lista de obrigações:

> *Cargo:*
> *Membro da Academia da Prússia, Professor da Universidade Friedrich-Wilhelm e diretor do Instituto de Física Teórica.*
> *Obrigações:*
> *Dar umas conferências de vez em quando.*

Mas essa mudança foi a gota d'água para Mileva. O casamento deles já não ia bem havia alguns anos e, passados uns dois meses, ela voltou com os filhos para Zurique. Em 1919, se divorciaram, e Albert se casou com uma prima sua, Elsa. (Como o Charles: esses cientistas têm cada mania!)

Quatro meses depois da sua mudança para Berlim, estourou a Primeira Guerra Mundial. Até então, o principal interesse de Albert era a física. Ele era um sujeito tolerante, que detestava a injustiça e o militarismo, mas não se interessava nem um pouco pela política. No entanto, durante o conflito começou a trabalhar também pela paz, organizando campanhas e participando de protestos contra a guerra. Trabalhava quase tanto para a paz quanto para a ciência, mas só *quase*, pois, como ele disse: "As equações são muito mais importantes para mim, porque a política é para o presente, e elas são para a eternidade".

O Sol negro

Naquela época, a questão científica mais importante para ele era a relatividade geral, a maior teoria já desenvolvida por uma pessoa. Ela explicava a gravidade, abria a possibilidade de viajar no tempo e teria deixado Newton de boca aberta.

RELATIVIDADE GERAL
1 A gravidade curva o espaço.
2 Os raios de luz seguem as curvas do espaço.
3 A gravidade retarda o tempo.

> **4** Uma coisa densa o bastante pode curvar o espaço a ponto de fechá-lo.
>
> **5** O Universo pode ser denso o bastante para fechar o espaço.

Albert lançou as bases da relatividade geral em 1907, mas necessitava de muito mais matemática do que sabia para construir uma teoria precisa. Com a ajuda do seu velho amigo Marcel Grossman, finalmente conseguiu formulá-la, mas era muito mais complicada do que a relatividade especial e dificílima de entender direito.

SEGREDOS DA CIÊNCIA

A relatividade geral é a ferramenta que os cientistas utilizam para entender a estrutura e as origens do Universo, e também o comportamento de objetos maciços, como os buracos negros. Algumas pessoas acham que, além de tudo isso, ela detém a chave de como viajar para o passado.

O que Albert necessitava agora era de uma grande demonstração para provar para as pessoas que a sua teoria estava de fato correta. Afinal, ela era elegante demais para estar errada. Em 1919, surgiu a oportunidade de testá-la. Haveria um eclipse solar naquele ano, e duas expedições foram organizadas para viajar a diferentes partes do mundo em que o fenômeno seria visível. Segundo Albert, se a relatividade geral estivesse correta, as estrelas pareceriam afastar-se ligeiramente do Sol negro, quando este passasse por elas no céu. Depois de muita excitação, cálculos, preocupação com as nuvens, medições etcétera e tal, todos os resultados confirmaram as previsões de Albert. (Mais tarde, porém, concluiu-se que os resultados não podiam ser considerados suficientemente seguros, mas desde então várias outras observações provaram que Albert estava mesmo certo.)

Universo corpuscular

Albert correu o mundo todo dando conferências sobre a relatividade e encontrando-se com outros cientistas. Também foi a Estocolmo receber o prêmio Nobel. Mas nem tudo era só física e satisfação. Naqueles dias, os judeus vinham sendo atacados por grupos de extrema direita na Europa, e Albert passou a condenar veementemente esses ataques, tornando-se odiado pelos direitistas. Eles o espionaram, tentaram chantageá-lo, pagaram cientistas inescrupulosos para dizerem que suas teorias estavam erradas (ou haviam sido roubadas), parece que até tentaram assassiná-lo.

Apesar de todos esses contratempos, Albert continuou se esforçando para explicar o Universo. Tentava agora ampliar a relatividade, alcançando uma teoria ainda mais avançada do que a da relatividade geral. Queria chegar a uma "teoria unificada do campo", coisa com que Michael Faraday sonhara e que ligaria a eletricidade e o magnetismo numa teoria da relatividade, como ele já fizera com a gravitação. Mas não era o único aspecto da ciência a que se dedicava então: também estava metido num formidável debate sobre uma teoria que ajudara a desenvolver em 1905, a teoria dos quanta.

Os cientistas e seus experimentos de arromba

Albert havia mostrado em 1905 que, como Isaac Newton sempre dissera, a luz existe na forma de partículas, que hoje chamamos de fótons (se bem que essas partículas se comportam de uma maneira muito mais complexa do que Newton pensava). Deduziu daí que todo o Universo era corpuscular, ou seja, que a energia, tanto quanto a matéria, consistia em partículas minúsculas. Baseados nessa ideia, ele e outros cientistas desenvolveram toda uma nova ciência chamada física quântica, que foi capaz de explicar todo tipo de fenômenos. A maioria dos físicos quânticos considerava que, segundo essa teoria, o Universo seria mais ou menos assim (Albert nem sempre concordava com essa visão):

Física hoje
O UNIVERSO VISTO EM DETALHE

1 A luz — e tudo o mais — é feita de corpúsculos, mas estes se comportam como ondas. ✓

2 Nunca será possível prever exatamente como eles se comportarão. ✗

Não podemos prever, mas não é impossível.

3 Se tivéssemos um microscópio superpoderosíssimo, veríamos que as partículas minúsculas têm bordas vagas.

Se pudéssemos ver essas partículas, elas teriam bordas nítidas. ✗

Quase todos os cientistas atuais estão convencidos de que, dessa vez, Albert estava errado.

> ## SEGREDOS DA CIÊNCIA
> A física quântica é o nome dado para as estranhas leis que objetos diminutos, como os átomos e seus componentes, obedecem. Além de explicar o comportamento desses objetos, ela constitui a base da química, da eletrônica e da genética modernas.

Na década de 1930, a Alemanha se tornara um lugar impossível para Albert e os judeus como ele viverem. Muitos foram aterrorizados, assassinados ou tiveram suas posses roubadas. Como Albert continuou se opondo aos nazistas, teria sido fatal para ele continuar por mais tempo no país. Por isso, em 1933 ele e Elsa se mudaram para os EUA, e nunca mais voltaram.

Nos Estados Unidos, Albert continuou a discutir a teoria quântica e a trabalhar na teoria unificada do campo, chegando a conclusões ainda mais incríveis. Também continuou a campanha contra a guerra. Agora ele era famosérrimo e populariíssimo de morrer, e cobriam-no com todo tipo de honrarias — até o convidaram para ser presidente de Israel!

(O que, ainda bem, ele não aceitou: certamente não teria a menor ideia do que fazer com um país.)

No fim da década de 1940, Albert ficou seriamente doente, vindo a falecer em 1955. Até a noite que antecedeu a sua morte, trabalhou na teoria unificada do campo. Passado meio século, ninguém ainda conseguiu completá-la.

ALBERT EINSTEIN
ESTA FOI SUA VIDA

Revolucionou:
a física e a astronomia

PRINCIPAIS DESCOBERTAS:
- teoria da relatividade
- teoria dos quanta
- provou que os átomos existem

INTERESSES NÃO CIENTÍFICOS:
tocar violino, velejar e lutar pela paz

A CIÊNCIA HOJE

Os cientistas levaram, até nossos dias, vários séculos decifrando o Universo. Eis os resultados:

CRIAR MATERIAIS ARTIFICIAIS: ENGENHARIA QUÍMICA	AVALIAR A REALIDADE: CÁLCULO E ESTATÍSTICA
SALVAR VIDAS: CIÊNCIAS MÉDICAS	PRODUÇÃO E DISTRIBUIÇÃO DE ELETRICIDADE: TECNOLOGIA ELÉTRICA

Os cientistas e seus experimentos de arromba

DE QUE SÃO FEITAS AS COISAS: TEORIA ATÔMICA E FÍSICA QUÂNTICA	**ORIGEM E NATUREZA DO UNIVERSO: COSMOLOGIA E ASTROFÍSICA**
LUZ SOLAR, BOMBA ATÔMICA E REATORES NUCLEARES: FÍSICA NUCLEAR	**VEÍCULOS A MOTOR: TECNOLOGIA DO TRANSPORTE**
HISTÓRIA DA TERRA: GEOFÍSICA	**COMO A GRAVIDADE ATUA E COMO VIAJAR NO TEMPO: RELATIVIDADE**
COMPUTADORES E TELECOMUNICAÇÕES: ELETRÔNICA	**ORIGEM DA VIDA, CLONAGEM E ENGENHARIA GENÉTICA: MICROBIOLOGIA**

A ciência hoje

Se levaram tanto tempo para chegar a esses resultados, é porque, além de dedicados e determinados, os cientistas tinham de ser crânios e ter tempo e dinheiro. E tinham de ter nascido no lugar certo, na hora exata. Infelizmente, muitos tempos e lugares ao longo da história — ainda hoje, aliás — estão cheios de gente que só pensa em degolar ou assar vivas na fogueira as pessoas que não pensam como elas, liquidando quem deseja seguir seu caminho pessoal e ter ideias próprias, inclusive ideias científicas. A liberdade de pensar e transmitir aos outros suas ideias nem sempre foi ou é a regra geral, mas quando as pessoas têm essa liberdade é incrível o que conseguem criar.

Se você não se contentar em dizer "foi Deus que fez", o mundo se torna um lugar difícil pra chuchu de ser entendido: estrelas, aranhas, a neve... O que é tudo isso? De onde vem? Como funciona? De repente, o mundo fica repleto de mistérios. Mas ele também está repleto de gente inteligente decidida a desvendá-los. Essa gente tenta de tudo que é jeito entender os mistérios da vida e chega a muitas conclusões. E é graças à sua luta que o método científico vem se desenvolvendo.

Decifrar o mundo é tremendamente complicado, mas a enorme vantagem da ciência sobre as outras formas de pensamento é que, uma vez que você tem a resposta certa, essa resposta pode ser *provada*: você não tem de *acreditar* que as estrelas são esferas de gás incandescente nem que os flocos de neve são cristais d'água, você pode provar que é assim. Para explicar o Universo, as pessoas precisam ter a liberdade de pensar do jeito que quiserem. Sua inteligência, sua determinação e seu fascínio pelo mundo que as rodeia farão o resto. É só dar tempo ao tempo.

Aonde será que a ciência vai nos levar daqui para a frente?

Os cientistas e seus experimentos de arromba

A CIÊNCIA DO FUTURO!

TEORIA DE TUDO — 2010

ORIGEM DO TEMPO — 2015

$$H_{branas}(\mu) = F(\nu^2/2) = \Omega \, H_{corda}(\rho)$$

HOMEM EM MARTE — 2020

MÁQUINAS NÃO POLUENTES — 2025

APRENDIZADO INSTANTÂNEO — 2030

VIDA ARTIFICIAL — 2040

A ciência hoje

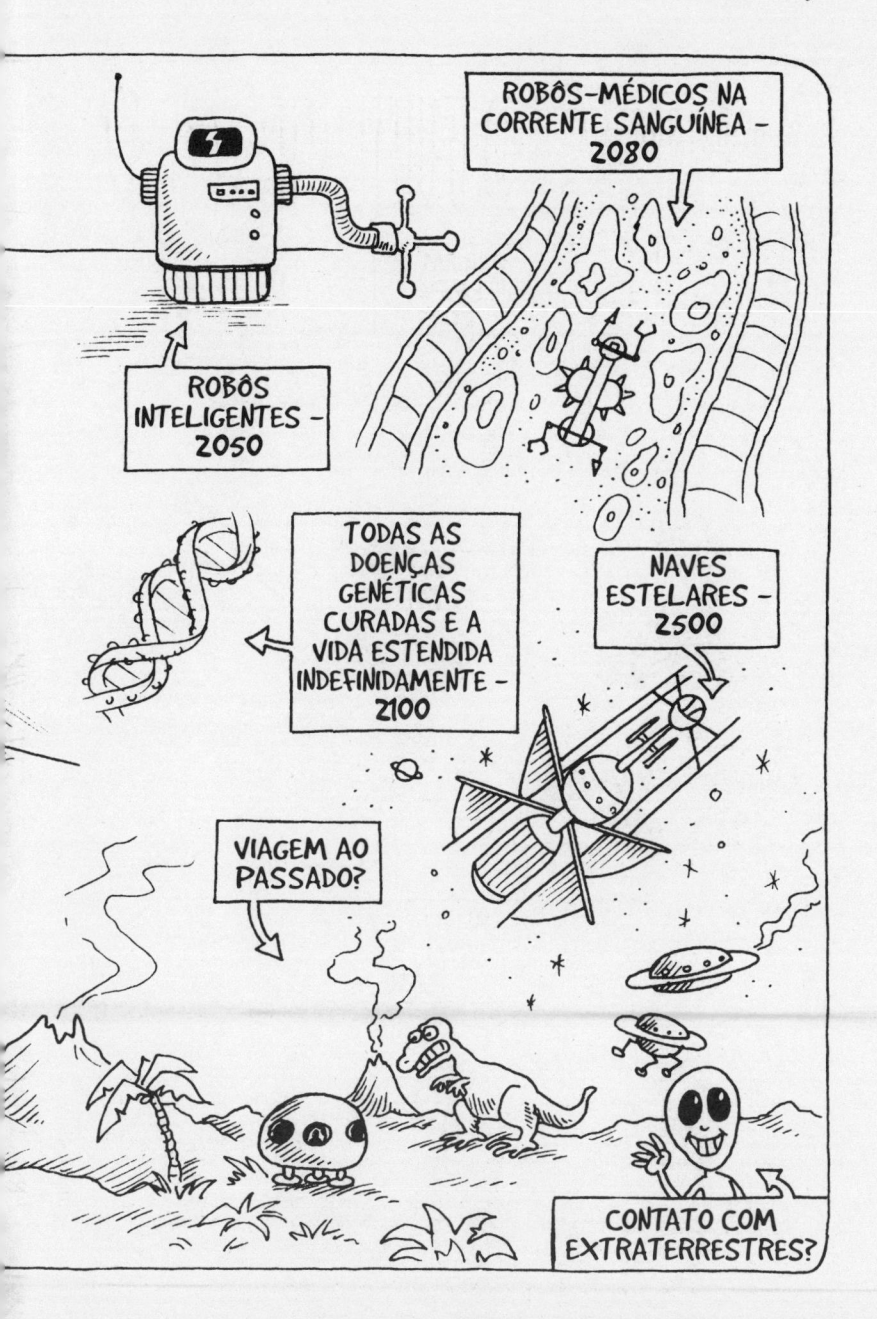

1ª EDIÇÃO [2007] 19 reimpressões

ESTA OBRA FOI COMPOSTA POR AMÉRICO FREIRIA EM WILKE E
IMPRESSA EM OFSETE PELA GRÁFICA BARTIRA SOBRE PAPEL PÓLEN DA
SUZANO S.A. PARA A EDITORA SCHWARCZ EM JUNHO DE 2024

A marca FSC® é a garantia de que a madeira utilizada na fabricação
do papel deste livro provém de florestas que foram gerenciadas de
maneira ambientalmente correta, socialmente justa e economica-
mente viável, além de outras fontes de origem controlada.